collection

L'heure évasion

▼

Roman jeunesse

Depuis le 1er avril 2004, les Éditions HRW affichent
une nouvelle raison sociale, soit Éditions Grand Duc ▪ HRW.

Éditions Grand Duc ▪ HRW
Groupe Éducalivres inc.
955, rue Bergar, Laval (Québec) H7L 4Z6
Téléphone : (514) 334-8466 ▪ Télécopie : (514) 334-8387
InfoService : 1 800 567-3671

L'heure évasion

▼

Virus à l'hôpital

▼

Sophie Jama

Virus à l'hôpital
Jama, Sophie
Collection L'heure évasion

© 2005, **Éditions Grand Duc ■ HRW,** une division du Groupe Éducalivres inc.
Tous droits réservés

Nous reconnaissons l'aide financière du gouvernement du Canada
par l'entremise du Programme d'aide au développement de l'industrie
de l'édition (PADIÉ) pour nos activités d'édition.

CONCEPTION GRAPHIQUE : Stéphanie Delisle
ILLUSTRATIONS : Pierre Rousseau et Serge Rousseau

CODE PRODUIT 3488
ISBN 2-7655-0008-8

Dépôt légal – 2e trimestre
Bibliothèque nationale du Québec, 2005
Bibliothèque nationale du Canada, 2005

Imprimé au Canada
1 2 3 4 5 6 7 8 9 0 G 4 3 2 1 0 9 8 7 6 5

Table des chapitres

▼

Chapitre 1

Alerte : gâteau au fromage

Les amis de mes parents me posent toujours la même et unique question quand ils viennent manger à la maison :

« Alors, la puce, sais-tu ce que tu veux faire quand tu seras grande ? As-tu réfléchi au métier que tu exerceras ? »

D'abord, je ne suis pas du tout sûre de devenir grande un jour. Ce n'est pas un hasard si tout le monde me surnomme « la puce », à la maison comme à l'école. Mon vrai nom est Déborah, Déborah Klein. Klein veut dire « petit », paraît-il, en allemand. Ça tombe plutôt bien puisque, malgré mes treize ans et demi, je suis minuscule. Je ne mesure pas plus d'un mètre quarante, et encore. Je suis la plus petite de la classe – en taille, j'entends – et peut-être même de l'école. Personne ne peut imaginer à quel point c'est énervant d'être toujours prise pour une élève de 1re secondaire quand on est en 2e secondaire !

Quant à la question posée, à savoir quel métier j'exercerai lorsque je serai plus vieille – à défaut d'être plus grande – je dois dire que je n'en sais strictement rien. Il est vrai que je me suis taillé une certaine réputation en informatique. Les ordinateurs, je connais. Je me débrouille plutôt bien, mais c'est pour m'amuser. Je n'ai pas l'intention d'en faire mon métier. Et puis comment veulent-ils que je devine ce que je deviendrai plus tard, tous ces adultes qui ne se rappellent même pas avoir été des enfants?

Pourtant, à bien y réfléchir, une chose est certaine : je sais au moins ce que je ne serai pas. Je ne deviendrai ni médecin, ni infirmière, ni préposée aux soins. Je ne veux soigner personne. Non! Ça, il n'en est pas question. Jamais! Les hôpitaux et leur personnel, très peu pour moi. À propos, l'aventure que nous avons vécue, mes nouveaux amis et moi, il y a tout juste un mois, vaut vraiment la peine d'être entendue. Toute la presse en a parlé, d'ailleurs. Oui, mais moi, j'ai la version exacte…

Alors, voilà. Tout a commencé le lendemain du repas que j'avais organisé avec mes deux camarades de toujours, Zina et Karissa. Nous nous connaissons depuis la première année. Ce sont mes meilleures copines et ma mère nous surnomme «les trois *a* minuscules»… Encore un sobriquet pas particulièrement malin! Il est vrai que Zina, Karissa, Déborah, ça fait trois petits *a*, mais la plus minuscule des trois, eh bien, c'est encore moi!

Nous avions donc organisé un repas entre filles, sans personne d'autre à la maison, et un jour de semaine, en plus. C'était la première fois qu'un tel événement arrivait. Coïncidence incroyable : tous les parents avaient une soirée à l'extérieur. Quant à ma chère grande sœur, elle avait eu, pour mon plus grand bonheur, la bonne idée de dégager le plancher. Je crois qu'elle avait un petit ami, mais elle a préféré prétendre qu'elle sortait avec Nathalie, sa copine de cégep. Puisqu'elle dormait chez elle, je n'ai pas insisté…

Donc, comme mes copines habitent loin de chez moi, les seules occasions que nous avons de nous parler sont les quinze minutes de récréation à l'école ou, le soir, en clavardant. Pour une fois, depuis longtemps, nous organisions une vraie rencontre à la maison ; un repas qui devait rester mémorable… surtout pour moi.

La table était dressée dans la cuisine (ma pièce préférée) pour être plus près de tout le nécessaire. J'avais choisi les jolies assiettes avec une ligne bleue que maman sort seulement pour les grandes occasions. Deux grandes bouteilles de jus de fruits attendaient sur la nappe.

Au menu, il y avait des tortillas fourrées avec du fromage fondu, du guacamole et de la crème sure. Facile à préparer et délicieux. Pour le plat de résistance : un poulet rôti, à la peau bronzée et croustillante, avec purée de légumes et sauce dégoulinante, que maman nous avait concocté. Un vrai régal ! Et le dessert ! Ça, c'est moi qui avais tenu à l'acheter : un merveilleux gâteau au fromage avec pommes rôties et noix de pacane…

3

Mmmm ! Rien que d'y penser, j'en ai la tête qui tourne.

Zina et Karissa se sont empiffrées de tortillas et de purée débordante de sauce. Si bien qu'arrivées au dessert, elles n'en pouvaient plus. Elles sont toutes les deux particulièrement minces, contrairement à moi, et elles font bien attention à leur ligne. De mon côté, comme je suis très petite – ça, je l'ai déjà dit – j'ai décidé de me rattraper en largeur, histoire de prendre ma place dans ce monde si injuste, dominé par les grands.

Comme mes copines avaient trop mangé, je leur ai conseillé d'arrêter sous peine d'être malades et punies ensuite par les parents pour cause d'abus alimentaire. Voilà ce qui arrive quand on traîne un estomac minuscule, incapable d'honorer un vrai repas de fête ! Quant à moi, je suis toujours affamée pour un gâteau au fromage ; n'importe quel gâteau au fromage. Et celui-là était une pure et totale merveille ! ! ! J'ai commencé par m'en couper une tranche raisonnable, sous le regard dégoûté de Zina et de Karissa, et je l'ai posée délicatement dans mon assiette à dessert. Là, j'ai usé de tout mon savoir-faire pour savourer mon gâteau. Pour vraiment apprécier un gâteau au fromage, il faut utiliser une technique de dégustation extrêmement rigoureuse. Et comme j'ai, paraît-il, un esprit d'analyse – c'est mon professeur de mathématique, M. Aimé Théor, qui l'a dit à ma mère – pas question de mordre bêtement dans un gâteau, quel qu'il soit.

Il faut séparer les parties avec minutie et les manger dans un ordre logique. En premier lieu, on renverse la tranche de gâteau sur le côté, de manière à pouvoir grignoter la croûte en biscuits. Il faut prendre le temps d'apprécier cette croûte préparée avec du sucre brun. Quand il ne reste plus une miette de biscuit et que le blanc du gâteau apparaît, on détache délicatement tout ce qui le garnit. Dans le cas du gâteau au fromage que j'avais acheté, il fallait tranquillement picorer les noix de pacane caramélisées, puis les pommes cuites, moelleuses, au goût de beurre. C'est exactement ce que j'ai fait avant d'arriver au moment crucial, celui qui est le plus intéressant : la dégustation du gâteau au fromage proprement dit. On se retrouve avec le gâteau parfaitement blanc dans l'assiette, débarrassé de tout le superflu, et on découpe soigneusement, délicatement, une tranche de fromage tout blanc avec la cuillère. C'est alors que l'extase commence. Le gâteau fond doucement dans la bouche, pendant qu'entre la langue et le palais, on en apprécie la texture. Savoureux, délicieux, exquis, succulent, divin ! J'ai décidé de m'en servir une deuxième tranche et j'ai recommencé le même cérémonial. Comme je n'étais toujours pas satisfaite, j'ai coupé un petit morceau, puis un autre, puis encore un autre, jusqu'à ce qu'il ne reste plus rien.

Impossible de sortir de mon lit le lendemain matin ! Mes copines étaient sûrement en classe pendant que je me tordais de douleur sous ma couette. J'étais nauséeuse et j'avais tellement mal au ventre que je me pliais en deux. C'était un peu comme si l'on me donnait des coups de poing, entre le nombril et la hanche droite. Jamais je n'avais ressenti une pareille douleur. Comment un si délicieux gâteau au fromage pouvait-il produire une telle souffrance? Car, évidemment, c'est le gâteau au fromage qui a été tout de suite montré du doigt par mes parents accusateurs.

– Étiez-vous obligées de le finir, ce gâteau? Tu sais que c'est extrêmement riche, un gâteau au fromage. (Ici, c'était ma mère qui commence, sur un ton doux, mais quand même à la limite de l'agacement; en même temps, elle me caressait gentiment les cheveux.)

– Voilà ce que c'est de la laisser seule avec ses deux copines. Trois folasses ensemble, que veux-tu que cela donne? (Là, c'était mon père qui intervenait bruyamment. Il s'imaginait que j'avais toujours 10 ans et que j'étais irresponsable.)

– Il était drôlement bon! C'est moi qui l'ai tout mangé, dis-je à ma mère, timidement, refusant le mensonge, et tentant de calmer tout le monde, sans succès.

– Tu as TOUT mangé! réplique-t-elle, cette fois en criant et en levant les bras au ciel. Pas étonnant que tu sois malade, maintenant!

C'était comme si sa voix avait déraillé sur le « tout » de « tout mangé ». L'expression méritait une note particulièrement aiguë et un ton spécial. Contrairement à mon père, il n'était pas fréquent

6

que ma mère hausse le ton. Comme son passe-temps est le piano et que ses morceaux préférés sont les *Nocturnes* de Chopin, il est difficile d'imaginer qu'elle puisse élever la voix, mais là, c'était comme si son piano était tombé du ciel sur la maison d'en face ! Sans doute se sentait-elle désemparée devant mon cas. J'avais le teint très pâle et jamais, je n'avais semblé aussi mal en point.

Comme la douleur persistait en dépit des tisanes et des autres remèdes naturels qui-ne-peuvent-pas-faire-de-mal, ma mère a décidé de m'amener à l'urgence de l'hôpital. Elle travaille comme secrétaire chez un avocat, et c'est la fin du monde quand elle s'absente une heure. Mais pour une fois, elle a téléphoné à son patron pour lui signaler ce cas de force majeure. Même si, comme d'habitude, il n'était pas content du tout, ma mère a tenu bon pour s'occuper de sa délicieuse puce chérie, c'est-à-dire moi.

En plein mois de janvier, par une température de -20 °C, c'était tout un spectacle de me voir avec mon gros blouson, mon écharpe, mes gants, mon bonnet enfoncé jusqu'au nez et, surtout, mon pantalon de pyjama, pliée en deux pour monter dans la voiture. Dommage ! il n'y avait aucun paparazzi pour prendre quelques photos ! J'étais incapable de me tenir droite et, après m'être repliée sur la banquette arrière, la voiture s'est mise en route pour l'hôpital le plus proche.

L'urgence d'un hôpital est un lieu qui mérite d'être vu au moins une fois dans sa vie, mais pas plus ! Moi qui n'avais jamais été malade de ma vie avant ce jour-là, j'étais loin de me douter qu'une telle confusion pouvait exister dans un endroit où l'on soigne la population, en particulier en plein hiver glacial, quand tout est blanc à l'extérieur ! J'étais entourée de nez rouges qui coulaient, de personnes à moitié endormies qui n'avaient d'énergie que pour tousser et cracher dans leurs mouchoirs, d'estropiés qui avaient dû se casser la figure sur les trottoirs enneigés et glissants et, d'une manière générale, de gens qui étouffaient dans ce lieu surchauffé et inondé par les restes de neige boueuse collés aux semelles des dizaines de paires de chaussures qui s'alignaient là. La lumière blafarde ajoutait sa petite touche au décor. On se serait cru à une soirée d'Halloween. Même si les participants « à la fête » portaient leurs vêtements de tous les jours, leur mine de mort-vivant tenait lieu de déguisement sans qu'ils aient à porter un masque. Et au milieu de cette foule lamentable, quelques rares médecins et infirmières, tranquillement, lentement, sans se presser, venaient s'occuper d'un malade à la fois.

Accompagnée de maman, je me suis d'abord adressée au service des admissions où une secrétaire attentive a pris soin d'entrer toutes les données dans un ordinateur de la même marque que le mien.

« Tiens ! j'aurais dû apporter mon ordinateur portable », ai-je alors pensé.

Mais on n'a pas le temps de penser à quoi que ce soit quand on quitte la maison en vitesse à destination de l'hôpital. Maman avait pris un petit sac contenant un pyjama de rechange, quelques vêtements et ma brosse à dents. Je n'avais rien pour m'occuper : pas de copine, pas d'ordinateur, juste mon mal de ventre. L'attente était interminable. Finalement, au bout de trois longues heures pendant lesquelles je continuais à me tordre de douleur, un pédiatre a demandé ce qui n'allait pas. Maman s'est empressée de répondre.

« La puce a trop mangé hier soir. Un gâteau au fromage en entier, vous vous rendez compte ? Et regardez comme elle est malade, à présent. Il fallait s'en douter ! ! ! Elles deviennent folles quand elles sont toutes les trois. Trois copines d'enfance, vous savez ce que c'est ? Blablabla, blablabla, blablabla. »

Ma mère n'en finissait pas de parler pour achever sur la seule question importante :

– Est-ce que c'est grave, docteur ?

Si je n'avais pas été si mal en point, avec des larmes qui commençaient à perler aux coins de mes yeux, j'aurais volontiers pris la parole à la place de ma mère. De toute façon, il était clair que le médecin, un homme qui avait un petit air asiatique, n'écoutait pas vraiment les paroles qu'elle continuait à débiter nerveusement. Cette attente dans ce lieu étouffant et humide avait eu raison de maman qui commençait à craquer. En revanche, le médecin, qui avait sûrement l'habitude d'entendre tout le monde se plaindre, semblait indifférent à tout bruit parasite. Il m'a allongée sur un lit à roulettes et m'a fait entrer dans une salle où attendaient d'autres personnes sur d'autres lits à roulettes. Là, il m'a examinée, auscultée, chatouillée et, au bout d'un moment, il a appelé ma mère pour lui faire part de sa grande découverte. Malgré mon mal de ventre qui m'obligeait toujours à me plier en deux, combien j'étais contente en entendant que je souffrais d'une crise d'appendicite. Ce que j'avais mangé la veille n'avait donc rien, mais rien du tout, à y voir. Encore une erreur de la justice parentale. Le gâteau au fromage était parfaitement innocent. Le mal n'en était pas moins là, et je devais sûrement couver cette saleté depuis des semaines, déjà.

– C'est assez fréquent chez les enfants et les adolescents, dit le médecin. Vous allez remplir cette fiche au secrétariat et nous allons garder votre fille quelques jours à l'hôpital. Un chirurgien va venir l'examiner dans sa chambre. J'appellerai aussi l'anesthésiste et, si c'est possible, votre fille sera opérée demain matin. Il ne faut pas trop attendre. Il pourrait y avoir des complications. Je vais lui donner quelque chose qui va la soulager de ses douleurs abdominales et lui permettre de passer une bonne nuit. On va s'occuper d'elle. Ne vous inquiétez pas. Ce ne sera pas long.

Ma mère faisait une telle tête pendant que le médecin lui annonçait son diagnostic que je n'ai pas pu m'empêcher de croire que mon cas était peut-être très grave. Une chose était sûre : si je vivais mes derniers instants, j'avais vraiment bien fait de manger tout le gâteau au fromage. D'autant plus que, c'était garanti, il n'y aurait que des horreurs au menu de cet établissement qui devait, contrairement à moi, se soucier davantage de diététique que de gastronomie.

Et voilà comment je me suis retrouvée enfermée à l'hôpital, sans mes copines ni même mon ordinateur pour clavarder avec elles. Maman m'a embrassée et m'a dit de ne pas m'inquiéter, que tout irait bien et qu'elle téléphonerait le lendemain pour avoir de mes nouvelles. Elle viendrait très certainement me voir en fin de journée, en sortant de son travail, et papa aussi, s'il pouvait reporter son départ de ce soir. Sûr que le patron de maman ne la laisserait pas s'absenter une deuxième fois. Quant à papa, cela m'aurait vraiment étonnée qu'il puisse annuler un voyage planifié depuis des semaines pour participer à un important séminaire à l'autre bout du pays. J'étais vraiment triste de voir maman partir, mais je ne sais pas si je pleurais pour ça ou parce que mon ventre me faisait mal.

Le médecin a parlé à une infirmière. C'est elle qui s'est chargée de pousser mon lit dans un long couloir lugubre jusqu'à un ascenseur assez grand pour nous contenir, nous et d'autres personnes à la mine triste. Décidément, la soirée d'Halloween se poursuivait dans tous les recoins de ce lieu sordide d'où j'aurais voulu m'échapper au plus vite. Près des boutons de l'ascenseur, j'ai aperçu de mon lit une plaque sur laquelle était écrit en français et en anglais : *En cas d'urgence, appuyer sur Arrêt.* « Ne suis-je pas un cas d'urgence ? ai-je pensé. Où est-il ce bouton sur lequel il faut appuyer ? » Mais je crois que le comprimé que m'avait fait avaler le médecin commençait à faire effet. Je ne me souviens plus du tout d'être sortie de l'ascenseur. Un peu plus tard, je me suis réveillée dans une vilaine chambre, au milieu d'autres jeunes que je ne connaissais pas.

Malgré une sorte de langueur qui m'empêchait de me réveiller complètement, j'entrevoyais une lumière trop vive et trop blanche pour les murs dénudés de la chambre. Il n'y avait pas la moindre décoration pour enjoliver les lieux, mais tout devait sans doute être très propre étant donné l'odeur. Pas de place pour les microbes dans les parages ! Pourtant, cette atmosphère aseptisée nuisait encore à l'esthétique. « Si l'hôpital a utilisé les services d'un décorateur, ai-je pensé, c'est un incompétent. »

– Quelle heure est-il ? Où est maman ? Qu'est-ce que je fais là ? J'ai faim.

En m'éveillant, j'étais tout à la fois ramollie et excitée. J'avais l'impression d'avoir tout oublié des derniers événements et il m'était difficile de garder les yeux ouverts.

– Eh ! Oh ! Du calme ! Non, mais tu l'entends celle-là ? Elle n'arrête pas de poser des questions, dit quelqu'un, d'une voix très enrouée, presque inaudible.

– Oui, une nouvelle, dit un autre. Elle n'a encore rien vu. Sois gentil, c'est une petite. Elle est sûrement en 1re secondaire !

J'ai coupé la parole à cet imbécile allongé dans le lit près du mien pour lui faire remarquer :

– J'ai treize ans et demi et je suis en 2e secondaire. La taille n'a rien à voir avec l'âge, vous ne savez pas ça ?

– OK, tu as 13 ans comme nous. Qu'est-ce que ça peut bien faire qu'on se soit trompés ? Calme-toi ! Tu t'appelles comment ?

Voulant voir qui s'adressait à moi, j'ai fait l'effort d'ouvrir les yeux et j'ai observé mes voisins de chambre. Ils étaient trois. Il y avait les deux qui m'avaient parlé, plus un troisième au bout de la chambre, qui dormait sans s'occuper de rien. Le garçon dont le lit était tout près du mien, et qui avait eu le culot de me croire plus jeune que je le suis, était assez mignon malgré son gros pansement qui lui barrait la joue : une belle touffe de cheveux noirs, de longs cils comme j'aime, de belles dents bien blanches et un sourire qui fait fondre. « Bon, je ne vais peut-être pas trop m'ennuyer », ai-je pensé immédiatement. L'autre n'était pas mal non plus. Sûr qu'il aurait plu à ma copine Karissa : il semblait très mince et beaucoup plus grand que son voisin. J'imaginais qu'il était d'origine haïtienne, comme Karissa, et je ne me trompais pas. « Il faudra que je la prévienne », me suis-je dit ; il ressemble au garçon dont elle était amoureuse, et qui est parti vivre à Toronto l'an dernier. Le troisième garçon était à peine identifiable ; il était plein de bandages et apparemment très amoché.

– Je m'appelle Déborah. Et vous, comment vous appelez-vous et qu'est-ce que vous faites ici, dans cet hôpital ? Avez-vous aussi une crise d'appendicite ?

– Pas du tout ! Moi, c'est Sylvain. J'ai eu un accident de surf des neiges. Je fais de la compétition et je me suis retrouvé contre un arbre. J'ai voulu couper par la forêt. Bilan : la clavicule et le tibia cassés, plus une balafre sur la joue à cause de la planche qui m'est retombée dessus. J'ai tout le côté gauche immobilisé. C'est pratique pour aller faire pipi…

– Je vois, ai-je répondu de ma voix la plus douce, ça ne doit pas être drôle. Puis, m'adressant à l'autre : et toi, tu t'es aussi cassé quelque chose ?

À présent, j'étais tout à fait réveillée et je gardais les yeux parfaitement ouverts.

– Non, moi je suis là pour des examens. Je m'appelle Bertrand. On va sûrement m'enlever les amygdales, dit-il de sa voix vraiment très enrouée.

– Et l'autre, vous le connaissez ? ai-je demandé en m'inquiétant comme une petite maman.

– Oui, bien sûr, répondit Sylvain. Ses parents viennent de Chine. Il s'appelle Li. C'est facile à retenir, surtout qu'il dort tout le temps… Il a été renversé par un cycliste, le pauvre. Il a traversé la piste cyclable sans imaginer qu'un vélo pouvait surgir en plein hiver, quand il y a de la neige ! Ça va presque bien maintenant, paraît-il. Ses blessures sont très superficielles. C'est quand même impressionnant de le voir avec tous ses bandages. On dirait une momie !

– Ça ne doit pas être pareil dans son pays. Personne ne pédale en plein hiver !

– Qu'est-ce que tu racontes ? dit Sylvain. Li est né ici ; il est canadien comme nous.

« Évidemment, j'aurais mieux fait de me taire », me suis-je dit en moi-même. Sylvain m'avait rapidement corrigée. Il avait eu raison. Bertrand parlait moins, à cause de sa voix cassée, mais je me sentais bien avec lui aussi. Ils étaient très gentils, finalement, ces deux-là. Li devait sûrement être sympathique, mais il fallait qu'il se repose encore. J'avais vraiment de la chance de m'être retrouvée dans leur chambre. J'aurais pu très mal tomber.

La discussion en est restée là. Sylvain s'est mis à lire un roman et Bertrand s'est plongé dans un magazine de jeux électroniques. Il n'était pas encore très tard, mais à 18 heures, il fait noir, en janvier, à Montréal. Par la fenêtre, j'apercevais un arbre gigantesque dont les branches croulaient sous le poids de la neige. Il en était tombé plus de 50 centimètres la veille et, avec le froid terrible, elle n'était pas près de fondre, même si le soleil avait brillé toute la journée. Il faisait nuit, mais sous les réverbères, le blanc de la neige éclairait le jardin de l'hôpital. Tout était sombre et lumineux à la fois. Je le trouvais bien triste, cet arbre. Je me posais mille et une questions : Comment fait-il pour résister à ce fardeau ? Et les écureuils, où peuvent-ils se cacher ? Ils n'ont plus rien à manger en cette saison. Ils doivent avoir si froid ! Comment font-ils quand ils tombent malades ? Un million de pensées me venaient à l'esprit en dépit de l'engourdissement qui provoquait une somnolence bizarre, probablement à cause des médicaments que j'avais avalés.

Je me demandais aussi ce qui s'était passé à l'école aujourd'hui. Ce devait être mon tour d'être interrogée en anglais. Cette épreuve me rend toujours nerveuse. J'ai beau sembler toujours à l'aise et décontractée, je suis quand même impressionnée, du haut de mon mètre quarante, quand je dois me produire devant toute la classe. Parmi les élèves, il y a deux ou trois anglophones qui ne se gênent pas pour rire de mon accent, mais ils sont gentils quand même. Ils me manquent. Ce n'est vraiment pas de chance que je sois tombée malade.

Toute l'agitation de la journée, l'attente à l'urgence et l'admission dans la chambre m'avaient complètement épuisée. Et puis j'étais malade. Une crise d'appendicite, ce n'est pas rien. Ne l'oublions pas ! Le calme qui régnait enfin me rendait très mélancolique. Malgré les paroles réconfortantes des deux garçons qui devaient devenir mes amis par la suite, j'avais soudainement perdu tout l'entrain qui me caractérise d'habitude. Que m'arrivait-il ? J'avais une terrible envie de pleurer, mais je résistais à cause des deux garçons. Pas question de m'effondrer devant eux. De quoi aurais-je l'air ?

Maman me manquait beaucoup. Et papa, savait-il qu'on allait m'opérer ? Je me surprenais même à m'ennuyer de Léa, ma grande sœur insupportable, avec qui je ne suis jamais d'accord et avec qui je passe mon temps à me disputer. Quand j'y pense, quel gâchis cette journée passée à l'hôpital à ne rien faire ! Maman a été drôlement gentille de rester avec moi. Pourquoi fallait-il que je sois malade pour passer une journée seule avec elle ? En d'autres circonstances, nous aurions pu sortir, nous promener ou aller patiner. Chaudement habillée, j'adore marcher dans la neige. Et un jour de semaine, il ne doit pas y avoir beaucoup de monde sur la grande patinoire du lac aux Castors... Je me demande quel effet ça peut faire d'être un poisson, les dimanches où il y a foule, et de voir tous ces gens patiner au-dessus de sa tête ?

Je me sentais tellement découragée ! La journée avait été mauvaise, et il semblait certain que la suite serait abominable. Je n'avais jamais été opérée de ma vie, mais Zina, qui avait connu cette expérience, m'avait assurée un jour qu'on ne sentait strictement rien. « Ça ne fait même pas mal, avait-elle dit. On est endormi et tout se passe sans qu'on s'en aperçoive. »

J'ai tout de même du mal à croire qu'on nous tripote à l'intérieur sans qu'on sente quoi que ce soit. Et puis, le temps va sûrement me sembler long dans ce triste hôpital. Comment ai-je pu oublier mon ordinateur portable ? Il n'est pas portable pour rien. À quoi ça sert d'avoir un tel appareil si c'est pour le laisser toujours à la maison ? Papa est parti en voyage. Impossible de compter sur lui pour me l'apporter. Je demanderais bien à maman, mais elle ne comprend rien à ces machines, et elle s'obstine à ne pas vouloir y toucher. Il est vrai que ça ne fonctionne pas exactement comme un piano. Pourtant, elle utilise bien un traitement de texte au travail ! Allez donc comprendre les parents... Il y a des parents qui se plaignent de leurs enfants difficiles. Moi, ce sont mes parents que je trouve difficiles ! Mais je les aime bien quand même.

Tout à coup, la porte a semblé s'ouvrir toute seule et une infirmière est entrée dans la chambre. Elle apportait trois plateaux-repas (si l'on accepte d'appeler cela des « repas »). J'ai tout de suite vu que mes soupçons étaient fondés. Je me suis dit que si les responsables du restaurant de l'hôpital voulaient que les malades perdent tout goût à la vie, ils ne s'y prendraient pas autrement. Une tranche de « je ne sais quoi » flottait au fond de l'assiette, accompagnée d'une cuillère de riz blanc même pas assaisonné. Une horreur immangeable à laquelle je n'osais même pas goûter. Une eau brunâtre faisait office de potage et comme dessert, une compote de fruits d'une couleur indéfinissable. Tout ce qu'il faut pour me mettre en appétit, quoi. Ce doit être ma grande sœur qui les a inspirés... Je pensais au festin de la veille et je me disais que les jours se suivent et ne se ressemblent pas ! Mes deux compagnons de chambre approuvaient mes commentaires, pendant que Li continuait à dormir. Arrivés là quelques jours avant moi, ils s'étaient plus ou moins habitués à la composition des menus. Bertrand avait du mal à avaler quoi que ce soit à cause de sa gorge qui lui faisait mal. Et puis de toute façon, des garçons, ça mange n'importe quoi. J'avais compris cela depuis longtemps.

En retirant le plateau auquel j'avais à peine touché, l'infirmière, plutôt jolie et sympathique, m'a annoncé que je recevrais la visite du chirurgien et de l'anesthésiste le lendemain, à l'aube. Je devais être opérée à 10 heures. Malgré mon ventre vide et un soupçon d'inquiétude, je n'ai pas eu de mal à m'endormir ce soir-là. Maman m'a téléphoné juste avant que les lumières s'éteignent. Ça m'a fait plaisir et ça m'a rassurée un peu.

C'est ainsi que mon aventure a commencé. Toutefois, il ne faudrait pas croire que c'est ma crise, mon opération ou la rencontre des garçons de la chambre qui constitue l'intérêt de cette histoire. Absolument pas ! Ce qui est arrivé dans cet hôpital et qui a touché tous les malades sans exception, est bien plus captivant. Tous les grands professeurs de médecine, tous les experts et toute la population de Montréal nous doivent une fière chandelle pour avoir tiré l'affaire au clair et avoir résolu le problème. Sans nous, j'aime mieux ne pas imaginer ce qui se serait passé…

Chapitre 2

Opération « appendice » !

Malgré les ronflements de Bertrand et l'agitation de Li, j'ai passé une première nuit à l'hôpital à peu près correcte. L'oreiller était incroyablement dur et je me souviens de m'être bagarrée avec lui toute la nuit. J'ai trouvé aussi qu'il faisait un peu trop chaud et, pour la première fois depuis longtemps, j'aurais bien aimé serrer contre mon cœur mon vieil ours en peluche que papa a rangé sur la plus haute tablette de ma bibliothèque. Je mesurais aussi combien c'est agréable d'être réveillée, chaque matin, par les baisers de maman. Toutefois, je comprenais bien que j'étais malade et que je devais être soignée. « La santé est le bien le plus précieux », répète souvent mamie Gâteau, la maman de papa. Il faut dire que la santé et les pâtisseries sont ses deux obsessions. Moi qui préfère les pâtisseries, je me rappelais, à présent, ses sages paroles. En général, c'est le genre de principes qui me passent au-dessus de la tête, mais là, je comprenais beaucoup mieux le véritable sens de la phrase de ma grand-mère. Je devais être soignée et il était normal que je passe au moins une nuit dans une chambre d'hôpital, aussi peu accueillante soit-elle. Cependant, j'ignorais que cette première nuit serait suivie de plusieurs autres; beaucoup trop à mon goût et nettement plus, en tout cas, que ce qu'aurait dû nécessiter ma guérison.

Ce n'est pas l'infirmière souriante de la veille qui est entrée dans la chambre pour apporter notre petit-déjeuner. Cette femme à la mine austère – elle ne travaille que le matin, heureusement ! – m'a paru totalement desséchée de l'intérieur, et j'ai du mal à croire qu'elle a su sourire un jour. Elle s'appelle Geneviève Épicure, mais elle tient à ce qu'on l'appelle « Mademoiselle ». Quant à son nom de famille, Épicure, c'est, paraît-il, le nom d'un grand philosophe qui vivait en Grèce il y a longtemps. C'est Sylvain qui me l'a dit et je le crois volontiers. Comme il lit beaucoup, il connaît un tas de choses. Il a beau avoir 13 ans comme moi, il est déjà en 3e secondaire. Même si je n'ai pas osé lui poser la question, je parierais qu'il est le premier de sa classe.

Vu de mon lit, le petit-déjeuner avait l'air moins terrible que le souper de la veille : des céréales avec du lait, un jus de fruits et un muffin. Convenable, en somme ! Seulement, je n'étais pas autorisée à avaler quoi que ce soit, même pas un petit verre d'eau !

« Je regrette, jeune fille, mais on ne mange rien quand on doit être opérée. C'est comme cela ! rugit le dragon. »

J'étais interloquée, incapable de prononcer le moindre mot. « Elle aurait pu être plus aimable quand même, cette Geneviève », me suis-je dit, le cœur serré. Par la suite, mes nouveaux amis et moi allions répéter sans cesse « C'est comme cela ! », « c'est comme cela ! »… pour nous moquer de cette vieille chipie. C'est quand même incroyable, elle a failli me faire pleurer… !

Soudain, on a entendu des pas et des voix fortes dans le couloir. On aurait dit qu'une armée de fantassins se dirigeait droit sur nous ! La porte s'est ouverte toute grande pour permettre à la meute d'entrer. Un homme avec une barbe poivre et sel est apparu en premier, la chevelure en bataille. Il était escorté par une troupe d'une bonne dizaine d'autres personnes. Une véritable armée ! Des filles et des garçons, à peine plus âgés que ma sœur, suivaient avec obéissance leur commandant en chef, et se gardaient bien de prononcer un mot. Ils étaient tous vêtus d'une même blouse blanche. C'était impressionnant ! Toutefois, seul le grand chef avait un stéthoscope autour du cou. Je me demande encore comment notre petite chambre, déjà encombrée par quatre lits, quatre tables de chevet, deux chaises et plein d'autres choses, a pu accueillir tout ce beau monde. Le barbu qui menait la troupe et qui, de toute évidence, servait de guide aux autres, parlait haut et fort en regardant parfois l'un de ceux qui se tenaient derrière lui. Plus ou moins écrasés contre le mur, faute de place, les suivants avaient en main un bloc-notes et un crayon pour noter toutes les paroles de l'éminent personnage. On aurait dit un monarque suivi de ses fidèles sujets. Il ne manquait que le noble chargé de taper du bâton et d'annoncer solennellement : « Messieurs…, la cour. »

En réalité, il s'agissait simplement du médecin de garde accompagné d'externes et d'étudiants en médecine venus là pour apprendre. Dans tous les hôpitaux, il y a une visite matinale des malades. Je l'ai appris plus tard. Le même cérémonial se déroulait devant chacun des lits. Même Li qui dormait n'y a pas échappé. Le patron, s'efforçant d'être sympathique sans pour autant afficher un sourire chaleureux, s'adressait à chacun de la même façon :

« Alors, mon petit gars, comment te sens-tu ce matin ? »

La fiche médicale qu'il tenait entre ses mains lui donnait des renseignements sur la maladie de chacun. Il lui suffisait de lire la feuille et, sans même nous connaître, il savait précisément de quoi nous souffrions. Très concentré, du moins en apparence, il jetait ensuite un coup d'œil sur la feuille des températures, posée au pied de notre lit, celle qui venait juste d'être remplie par l'infirmière de garde. Arrivé devant Sylvain, il s'est tourné vers l'une des jeunes filles du groupe :

« Voyez-vous, mademoiselle, le chirurgien, le docteur Opinel, a été obligé d'insérer une tige de métal pour maintenir en place le tibia de ce jeune garçon. Quant à la clavicule, retenez qu'on ne plâtre jamais une fracture de la clavicule. Un simple bandage suffit. Est-ce que c'est compris ? Avez-vous des questions ? N'hésitez pas à les poser. »

Ensuite, s'adressant à l'infirmière cette fois, il a ajouté :

« Il faudra changer son pansement sur la joue. »

Puis, sans même regarder mon copain Sylvain, le médecin barbu, dont j'ignorais le nom mais que j'avais surnommé dans ma tête « Charlemagne à la barbe fleurie », s'est dirigé vers le dernier lit de la chambre, c'est-à-dire le mien.

« Oh ! une jeune fille ! s'est-il exclamé, l'air étonné. »

« Les filles n'ont-elles pas le droit d'être malades, elles aussi ? » ai-je eu envie de lui répondre, mais je me suis tue et j'ai bien fait.

« C'est notre petite malade qui est entrée hier. (Il se contentait de lire ce qui était inscrit sur la fiche.) Trèèès biiiieeeen. Je vois que le chirurgien va passer ce matin. As-tu rencontré l'anesthésiste ? Bien sûr que non, suis-je bête ! (Décidément, il ne manquait aucun détail sur sa feuille !) Tu as 13 ans, tu t'appelles Déborah Klein, tu pèses 55 kilos et tu mesures 1,42 m, c'est bien cela ? Bon, ne t'inquiète pas. Tout va bien se passer. Je vois que tu seras opérée à 10 heures ce matin. (« Suffit-il de savoir lire pour être un grand patron ? » me suis-je demandé, tout en le regardant.) J'espère que tu n'auras pas trop faim d'ici là. On ne t'a rien laissé manger, ce matin, j'espère. »

« NON, JUSTEMENT, ON NE M'A RIEN DONNÉ, RIEN DE RIEN. JE VAIS ALLER ME PLAINDRE SI ÇA CONTINUE : AFFAMER DES PAUVRES ENFANTS SANS DÉFENSE ! » Je hurlais tout cela en silence, plus quelques insultes cinglantes que je ne dévoilerai pas. Précisons toutefois que le grand professeur de médecine n'attendait jamais les réponses aux questions qu'il posait, et qu'il se fichait bien de tout ce que je pouvais penser. Derrière lui, quelques étudiants plus sympathiques me faisaient un sourire par-ci et un clin d'œil par-là. J'ai remarqué un petit rouquin qui semblait bien s'amuser, mine de rien, avec un autre à qui il lançait des regards complices. « C'est rassurant, ai-je pensé, ils ne sont pas tous comme lui. » Puis, le grand professeur a donné le signal du départ et, sans même nous dire « au revoir », la troupe est sortie de la chambre comme elle y était entrée.

Quel calme après cette visite ! Mes compagnons de chambre, qui avaient déjà vécu l'expérience de cette représentation théâtrale, ont modéré mon étonnement et m'ont appris que le même rituel recommence tous les jours, sauf les fins de semaine.

– J'espère bien être rentrée chez moi d'ici-là, ai-je dit spontanément.

– Nous te le souhaitons…, ont répondu les deux autres, en chœur.

– Mon problème est moins grave que le vôtre. C'est sûr que je serai sortie avant samedi ; avant demain peut-être même !

J'étais à des années-lumières de la réalité qui m'attendait. Si je me suis éternisée dans ce lieu que je voulais fuir au plus tôt, ce n'est assurément pas à cause de ma « maladie », mais plutôt à cause d'une drôle d'épidémie – à peu près inoffensive, heureusement ! – mais qui a touché tous les patients, sans aucune exception.

Finalement, le chirurgien et l'anesthésiste tant attendus sont arrivés, l'un après l'autre, et uniquement pour moi. Ils m'ont examinée et m'ont parlé de mon opération.

« On va te faire ceci, on va te faire cela. Tout ira bien, tout ira bien… »

Je ne comprenais pas grand-chose à ce qu'ils racontaient, j'avoue que j'écoutais à moitié, et encore. J'étais même sur le point de m'assoupir quand, à ma grande surprise, maman a surgi au beau milieu de la chambre pour mon plus grand bonheur.

– Maman chérie !

– Oh ! ma puce, comme je t'aime.

J'étais tellement contente de la revoir enfin ! Je pleurais en l'embrassant et en la serrant contre moi. J'ignorais comment elle avait fait pour s'absenter de son bureau une matinée, en semaine. J'avais un peu peur qu'elle perde son emploi, mais en même temps, j'étais si heureuse.

Nous nous étions quittées depuis quelques heures à peine. Une nuit, pas plus. Il m'arrive souvent de passer plusieurs jours loin de maman pendant les vacances. Pourtant, jamais elle ne m'avait autant manqué ! J'ignore pourquoi, mais cette nuit dans cet endroit m'avait paru interminable. J'étais, je dois l'avouer, terrifiée. J'avais besoin de la présence de ma maman chérie plus qu'en toute autre circonstance. Je lui ai présenté mes trois nouveaux amis. Je lui ai dit qu'on ne m'avait rien servi à manger au réveil, et qu'en plus – maman devait absolument connaître la vérité – le repas de la veille avait été une horreur.

– Quand on se fait opérer, ma puce, on n'a pas le droit de manger. Pendant que tu es endormie, tu dois être à jeun, car tu risquerais de vomir et ça pourrait être dangereux. Tu verras, on te servira sûrement un délicieux repas quand tout sera fini.

J'en doutais, mais enfin. C'était gentil de sa part de chercher à me rassurer. Maman avait été si gentille de s'absenter encore de son bureau.

– Est-ce que tu vas rester avec moi, maintenant ? Tu ne vas plus partir, n'est-ce pas ? Papa a-t-il pris son avion, finalement ?

– Oui, ma puce, papa est parti à contrecœur. Il m'a chargé de te dire qu'il pensait très fort à toi. Léa aussi pense à toi. Elle m'a dit de t'embrasser de sa part. Quant à moi, je vais attendre que l'opération soit terminée. Je te reverrai quand on te ramènera dans la chambre. Ensuite, je retournerai au travail. Cela me fait beaucoup de peine, mais je ne peux pas faire autrement. Tu comprends, ma puce ? Tu connais mon patron, Me Guilty. Il s'affole dès que je m'absente. Il faut dire que nous sommes sur une très grosse affaire. Il a vraiment besoin de moi.

J'étais sur le point de lui dire que, moi aussi, j'avais vraiment besoin d'elle, mais le chirurgien nous a interrompues. Il fallait que je sois prête avant 10 heures.

– Vous êtes la maman de Déborah ? Bonjour, madame Klein. Ravi de vous connaître ! Je suis le docteur Opinel, c'est moi qui vais opérer votre fille. Il n'y a pas lieu de vous inquiéter. Vous n'êtes pas trop préoccupée par l'intervention chirurgicale ?

– Oh non !..., pas du tout. J'ai été opérée moi-même, pratiquement au même âge que la puce, alors vous pensez... Mais tout de même..., vous êtes sûr que tout va bien se passer ?

– Tout ira très bien, soyez sans crainte. Attendez-nous ici tranquillement. Je vous ramène votre fille, remise à neuf, dans moins de 45 minutes. Alors, à plus tard.

– À plus tard, a répété maman, d'une voix tremblante que je ne lui connaissais pas.

C'est sur ces paroles que j'ai senti rouler le lit sur lequel on m'avait déplacée. Quelqu'un l'a poussé à l'extérieur de la chambre, puis dans le corridor jusqu'à l'ascenseur, de plus en plus loin de maman.

Au troisième étage, au fond du couloir, un genre de porte blindée s'est ouverte pour me laisser passer. Le bloc opératoire était exactement comme dans un film que j'avais vu à la télé. Une lumière aveuglante au-dessus de ma tête, plein de gens autour de moi, habillés en vert de la tête aux pieds, des instruments de « torture » dans des petites boîtes métalliques sans couvercle… Brrrrr… Ça donne froid dans le dos. J'avais de moins en moins envie de rester là, mais même si je n'étais pas encore endormie, il n'y avait pas moyen de m'échapper ! Parmi tout ce beau monde, j'ai reconnu le docteur Traum, l'anesthésiste qui m'avait posé un tas de questions dans la chambre et qui, lui aussi, avait consulté mon dossier. Il a pris une sorte de masque transparent relié à un appareil par un gros tuyau. Il a appliqué le masque sur mon visage, en me demandant de me détendre. Je devais me détendre, alors je me détendais, je me détendais… Je me détendais si bien que, finalement je me suis endormie. Je ne me suis rendu compte de rien, d'absolument rien !

Quand j'ai ouvert les yeux, maman se tenait près de moi dans la chambre que j'avais l'impression d'avoir quittée depuis quelques minutes à peine. Elle me caressait la main.

– C'est déjà fini ? Je n'ai rien senti ! Tu es sûre, absolument sûre que c'est terminé ?

– Ça y est, ma puce. Oui, c'est fini. Et je suis bien contente. Le docteur Opinel dit que tout s'est très bien passé. Tu vois, il n'y avait pas de quoi s'inquiéter, a ajouté maman de sa voix douce et tendre, cette voix que j'aime tant.

Le chirurgien était encore là. Il exhibait fièrement un petit bocal en verre transparent dans lequel il avait placé le morceau de chair malade qu'il m'avait retiré : mon appendice à moi. Mmmm, très appétissant ! Fallait-il vraiment qu'il nous montre ça ? Je regardais maman pour connaître son impression. Contrairement à moi, elle paraissait s'extasier devant ce bout d'organe sorti tout droit de sa puce chérie. Tout ce qui vient de moi est sacré à ses yeux. C'est ce qu'on appelle l'amour maternel sans doute. Pour ma part, dans de telles circonstances, même le meilleur gâteau au fromage du monde ne m'aurait pas excitée. Je n'avais pas du tout hâte qu'on m'autorise à manger de nouveau. Après les examens, les analyses, l'opération et, pour finir, la contemplation de ce morceau de viande rouge qui sortait de mon corps (moi qui l'aime bien cuite, en plus)… je n'avais pas faim du tout !

– Maman, est-ce que tu peux rester encore un peu ? S'il te plaît ! Je me sens pire qu'hier. C'est curieux, je me sentais mieux avant l'opération.

– Ma puce, tu sais bien que j'aimerais passer toute la journée avec toi, mais c'est impossible. Cependant, j'ai une surprise pour toi. Devine un peu !

– Une surprise, quelle surprise ? Tu m'as apporté mon ordinateur portable ?

– Non, sûrement pas. Je préfère que tu te reposes un peu avant d'y retoucher. C'est une surprise bien plus agréable : la visite de ta sœur. Léa n'a pas de cours cet après-midi. Elle m'a promis qu'elle viendrait te voir et qu'elle te tiendrait compagnie pendant quelques heures. Tu es contente ? Comme ça, tu seras moins seule !

Léa vient me voir, moi, sa sœur détestée, son calvaire quotidien depuis treize ans, depuis mon apparition dans le monde des humains ! Je n'en revenais pas. Maman devait se tromper. Toutefois, si elle était confirmée, la nouvelle me faisait plaisir, je ne le cache pas. C'était peut-être l'occasion de nous réconcilier. Nous ne nous sommes jamais vraiment fâchées, mais entre sœurs, il ne faut pas toujours compter sur des rapports très harmonieux.

– Oui, ça me fait vraiment plaisir, tu sais, mais j'aurais préféré que tu sois avec elle.

– Je sais, ma puce. On ne fait pas toujours ce qu'on veut dans la vie. Patience ! Tout sera bientôt fini. J'ai parlé à l'infirmière. Elle m'a dit qu'après une ou deux nuits passées ici, tu rentreras à la maison. Repose-toi un peu. Le pédiatre va venir t'examiner. Tu verras. Tout va rentrer dans l'ordre. Au revoir, ma puce. Sois courageuse, ma chérie ! Je te téléphone ce soir en rentrant. C'est promis.

– Au revoir, maman. Reviens dès que tu peux.

– Bien sûr ! À bientôt les garçons, prenez soin de Déborah.

Li dormait encore, mais Bertrand et Sylvain ont rassuré ma mère en lui promettant qu'ils s'occuperaient de moi. Ils ont ajouté que c'était un bon hôpital, que les docteurs avaient très bonne réputation, que les infirmières étaient vraiment très dévouées, que tout se passerait bien, que je rentrerais bientôt à la maison, enfin, tout pour la tranquilliser. À vrai dire, je ne les écoutais pas. Je sentais une énorme boule d'angoisse monter en moi. Mon unique souci était de me retenir de pleurer.

Après le départ de maman, je me suis sentie très seule. Une infirmière est venue chercher Bertrand pour lui faire subir de nouveaux examens. Je l'ai réconforté en lui disant que s'il devait se faire opérer, il n'avait rien à craindre. On n'a conscience de rien et c'est moins douloureux qu'une prise de sang.

Je n'avais pas eu l'occasion de parler à Li. Il dormait tout le temps, mais c'était normal dans son cas. Une infirmière est venue dans la chambre pour nous annoncer que Li déménagerait dans une autre chambre. Elle nous a expliqué qu'il serait bientôt rétabli, mais qu'il lui fallait beaucoup de repos. Quant à Sylvain, il se demandait pourquoi on l'obligeait à rester à l'hôpital. Si c'était pour changer son pansement, il pouvait le faire lui-même. Il était parfaitement capable de se rendre à l'école avec ses béquilles et aurait la permission de prendre l'ascenseur.

Heureusement qu'il était là. Nous avons parlé d'un tas de choses : nos dernières vacances, les lubies de nos professeurs, les exigences de nos parents, les tares de nos sœurs respectives… Une réelle amitié s'amorçait.

« Mademoiselle » Épicure a apporté le repas du midi. Je me suis dit que n'importe qui refuserait de se faire opérer ici ! Heureusement, je n'avais pas très faim, mais ça ne présageait rien de bon pour la suite des événements. Au menu, un bol rempli d'un liquide chaud, à peine teinté, où flottaient quelques rares minuscules morceaux de carottes, de poireaux et de navets, je crois… C'est tout ! Peut-on imaginer spectacle plus désolant ? Cependant, j'ai été étonnée de constater qu'après une ou deux gorgées de ce liquide vaguement salé, je n'en pouvais déjà plus. Pour la première fois de ma vie, je me sentais gavée après deux misérables bouchées… Pourtant, il y avait des cas pires que le mien. Li était alimenté par une aiguille qui lui rentrait dans le bras ! Un liquide transparent comme de l'eau s'écoulait goutte à goutte. Le pauvre ! Je me demande quel goût cela pouvait avoir.

Vers 13 heures, ma sœur a frappé à la porte de la chambre. Quand elle est entrée, j'ai dû me pincer pour le croire. Contrairement à moi, elle avait bien mangé et cela se sentait. Son haleine dégageait une odeur de frites et de hamburger. Sans commentaire…

– Écoute Déborah, tu m'excuseras, mais je ne peux pas rester longtemps. Au fait, comment vas-tu ? Ça y est, on t'a opérée ?

– Évidemment, qu'est-ce que tu crois ? Je n'ai pas l'intention de me morfondre ici !

– Bon, je vois que tu es restée toi-même. Tout va bien, alors. Comme je te disais, je dois absolument partir.

– Où vas-tu ? Pourquoi dois-tu « absolument » partir ?

– Où ? euh… parce que… eh bien, euh… je vais… j'ai rendez-vous avec Nathalie, tu sais bien, ma copine de cégep. Tu la connais, tu l'as rencontrée une fois. Écoute, elle a besoin de moi.

Tout cela me semblait particulièrement louche et suspect. Nathalie, vraiment ? N'était-ce pas plutôt Nathan que Léa allait retrouver ?

– Et pourquoi a-t-elle besoin de toi ? Maman m'a dit que tu resterais au moins deux heures. Elle ne m'a pas parlé de ton numéro d'étoile filante.

– Je sais. Excuse-moi. Je vais essayer de revenir. Veux-tu que je t'apporte quelque chose ?

– Oh ! oui, s'il te plaît, apporte-moi mon ordinateur portable.

– Non, ça c'est trop lourd. J'ai déjà toutes mes affaires de classe à transporter, en métro par-dessus le marché. À -20 °C, ce n'est pas exactement une partie de plaisir ! J'ai failli glisser sur la neige tout à l'heure. Tu te rends compte ? Si j'avais transporté ton ordinateur… Non, ça, je ne peux pas.

– Apporte-moi mon ours, alors. Mon petit ours en peluche, ça ne sera pas trop lourd pour toi ?

– OK, c'est promis. Allez, bye ! Il faut que je me sauve. Soigne-toi bien. Et pas un mot à maman, d'accord ?

Sylvain a vu en direct le monstre de sœur que je dois supporter chaque jour de ma vie et il a eu le culot de la trouver sympathique. Comme il est l'aîné de deux sœurs, il ne peut pas vraiment comprendre. En plus, c'est un garçon. Léa n'est rien d'autre qu'une pimbêche !

J'ai repris la conversation avec Sylvain. Nous avons parlé de nos vies, de nos bonheurs et de nos peines. Ensuite, il a lu un peu et moi, j'ai rêvassé un peu. C'est ainsi que l'après-midi s'est achevé. Deux infirmiers sont venus chercher Li pour l'emmener dans une autre chambre. Son lit était vide à présent. Bertrand est revenu et nous a annoncé qu'il serait opéré le lendemain. Le chirurgien l'avait assuré qu'il ne sentirait rien et qu'il pourrait manger de la crème glacée le matin, le midi et le soir. Il avait déjà choisi ses parfums préférés : chocolat, pistache et caramel. Je l'enviais beaucoup ! Je n'aurais pas pu me faire enlever les amygdales plutôt qu'un petit appendice ? Il n'y a vraiment pas de justice !

La matinée avait été assez agitée, mais l'après-midi avait été beaucoup plus calme. Je me sentais beaucoup mieux. Je n'avais plus mal nulle part. Et il me tardait de rentrer à la maison. Je me disais que ce serait ma dernière nuit à l'hôpital parce qu'on n'avait plus de raison de me garder. J'ai expliqué tout ça à maman quand elle m'a téléphoné.

J'aime bien Sylvain et Bertrand, mais j'ai besoin de parler à mes copines. Il y a une éternité que je les ai vues. Savent-elles que je suis malade ? Comment leur parler sans mon ordinateur ? Léa aurait pu me l'apporter, histoire de se faire pardonner tout ce qu'elle me fait endurer. Tant pis ! je vais élaborer un plan pour la soirée. J'ai décidé de laisser passer le souper sans trop rouspéter, quel que soit le repas servi, et d'attendre que les lumières s'éteignent pour sortir de mon lit et partir à la recherche d'un ordinateur. Ça doit bien se trouver, ici. Tout est informatisé. Ils ont forcément accès à Internet. Je n'abîmerai rien. Juste le temps de clavarder un peu avec Zina ou Karissa et je retourne bien sagement dans mon lit. Est-ce que j'en parle à Sylvain et à Bertrand ? À Bertrand, non. Il doit se reposer pour l'opération de demain. Ce n'est pas le moment de l'exciter ; il est sûrement assez soucieux comme ça. Sylvain s'intéresse-t-il aux ordinateurs ? Il passe son temps à lire, cette espèce d'intello sportif. Je ne sais pas trop. Je verrai plus tard. J'ai le temps d'y penser.

À 21 heures, aussitôt que l'infirmière a éteint la lumière de la chambre et qu'elle est sortie en nous souhaitant « bonne nuit ! », j'ai sauté en bas de mon lit et je suis tombée par terre. J'avais la tête qui tournait un peu. Sûrement les restes de l'anesthésie. Sylvain m'a entendue. Il a chuchoté :

– Qu'est-ce que tu fais ? Es-tu tombée de ton lit ?

– Chut ! ! ! Non, je veux juste sortir dans le couloir. Je veux trouver un ordinateur pour parler à mes copines. Veux-tu venir avec moi ?

– Je n'y tiens pas, mais je peux t'accompagner si tu veux.

– Non, ce n'est pas nécessaire. C'est calme, il n'y a plus personne. Je serai absente juste un petit quart d'heure. Bye.

Arrivée dans le couloir, la voie était libre. Personne à l'horizon. C'était facile de « faire le mur » comme disent les prisonniers. J'ai marché jusqu'au secrétariat de l'étage. La secrétaire était partie, mais son ordinateur devait sans doute être allumé. Je m'apprêtais à ouvrir la porte et à entrer quand un homme assez âgé, aux cheveux tout blancs, m'a bousculée et s'est mis à courir vers la sortie. J'ai eu très peur ! Il aurait pu me faire mal. Le bonhomme venait de toucher à l'ordinateur de la secrétaire. Aucun doute là-dessus : l'écran n'était plus en veille. « Qu'est-ce que c'est que cette histoire ? ai-je pensé. Qui est cet homme louche et que venait-il faire ici ? Je ferais mieux de retourner dans mon lit. Il ne manquerait plus qu'on m'accuse d'avoir abîmé quelque chose, moi qui n'ai même pas pu discuter une minute avec mes amies… »

Chapitre 3

Méli-mélo à l'hôpital

– Aaaoouuhhh, fis-je en bâillant et en m'étirant comme un chat, j'ai bien dormi cette nuit. Et vous ?

– Pas moi, répondit Bertrand. Je suis crevé. Je n'ai jamais été aussi énervé de ma vie !

– Voyons Bertrand, tu te fais trop de mauvais sang pour ton intervention. Ne t'inquiète donc pas ! Déborah y est passée et moi aussi. Surtout les amygdales : je t'assure que ce n'est rien du tout !

Bertrand s'apprêtait à contredire mollement Sylvain, mais je suis intervenue.

– Eh ! les garçons, j'ai vu un truc bizarre hier soir quand je suis sortie de la chambre. Il faut absolument que je vous raconte.

– Tu es sortie de la chambre ?… lança Bertrand, complètement ébahi.

Brusquement, selon son habitude, « Mademoiselle » Épicure a surgi parmi nous et nous a interrompus. Pas question de parler en sa présence. Nos petits-déjeuners étaient posés sur une table métallique qu'elle roulait derrière elle.

Pendant que « Mademoiselle » nous servait, je me répétais en silence : « C'est comme cela », « c'est comme cela. » Je lui ai souri et j'ai pouffé de rire en regardant Sylvain. Décidément, le courant ne passait pas entre elle et moi. C'était sa faute. Elle n'avait qu'à être plus aimable ! Aussitôt qu'elle a quitté la chambre, au lieu d'attaquer mes céréales, mon muffin ou mon jus d'orange, j'ai repris mes révélations.

– Je vous disais donc que j'ai vu un bon-homme qui semblait bien avoir commis un mau-vais coup. Je l'ai bien vu. Il sortait du bureau de la secrétaire et il avait touché à l'ordinateur. C'était un vieux monsieur, plutôt bien habillé. Il avait des cheveux tout blancs… Enfin, ce qui est sûr, c'est qu'en le voyant détaler comme un lapin, j'ai tout de suite déduit qu'il venait de commettre un crime ou qu'il s'apprêtait à commettre un délit très grave.

– Tu veux dire que tu es sortie de ton lit hier soir ? Tu es allée dans le couloir ? En pyjama ?

– Bien sûr, en pyjama. Comment voulais-tu que je m'habille ?

Bertrand était plutôt épaté par mon audace. Il se demandait comment c'était possible que je n'aie croisé personne, qu'aucune infirmière n'ait traîné dans les parages et que je sois tombée sur l'homme en question. Ça lui donnait des idées. Il aurait bien aimé m'accompagner. Je lui ai vite fait comprendre que je ne lui avais pas proposé de me suivre par pure délica-tesse : je voulais qu'il ménage ses forces pour son opération. Il avait suffisamment mal dormi comme cela !

– Tu ne peux quand même pas condamner quelqu'un aussi rapidement ! s'indignait Sylvain. (Je découvrais qu'il voulait des preuves avant d'admettre un fait.) Peut-être ton vieux bonhomme cherchait-il une information sur une personne qu'il connaît à l'hôpital. Peut-être aussi qu'il travaille ici. C'est peut-être un médecin. Il y en a plusieurs qu'on ne connaît pas. C'est peut-être le mari ou le père de la secrétaire. Je ne sais pas, moi… Il y a tellement d'hypothèses ! Pourquoi penser tout de suite que c'est un criminel ?

– … Ah !… bon… ? ! Tu crois ? C'est vrai au fond. Je me fais peut-être des idées…

Évidemment, j'ignorais ce que le bonhomme en question pouvait avoir fait de mal. Mais je ne pouvais pas douter de ce que j'avais vu, de mes yeux vu. Les sages propos de Sylvain ne me convainquaient pas. Il ignorait comment s'était comporté l'homme ! Pourquoi celui-ci se serait sauvé s'il n'avait rien à se reprocher ? Que faisait-il dans le bureau de la secrétaire à cette heure ? Si, comme moi, il cherchait un ordinateur, il pouvait facilement en trouver un n'importe où ailleurs ! La ville est remplie de cybercafés. Pourquoi lui fallait-il un ordinateur de l'hôpital ? Il ne pouvait pas être un patient, comme moi. Il portait un complet, pas un pyjama ! Si c'était un médecin, pourquoi ne portait-il pas de blouse blanche ? Nous étions au même endroit au même moment, mais ma situation n'avait rien à voir avec la sienne. Moi, j'étais prisonnière, ici. Je n'avais pas le droit de m'en aller. Et entre ma mère et ma tordue de sœur, je n'étais pas très gâtée sur le plan informatique.

Je rageais de n'avoir pas pu utiliser l'ordinateur du fameux bureau et d'être retournée dans la chambre à cause de l'homme suspect. Il m'a bousculée et il a décampé, sans même s'apercevoir de ma présence ! Étant donné ma petite taille, il a dû croire qu'il heurtait une poubelle ou je ne sais quoi. Il m'a empêchée de clavarder. J'ai croisé son chemin et il m'a effrayée ! Mon cœur battait si fort que le bruit aurait pu réveiller tous les malades de l'hôpital si j'étais restée dans le couloir. Il fallait bien que je retourne dans mon lit… Ce seul argument suffisait à condamner le suspect de manière définitive. Pour une fois, Sylvain ne savait pas tout. Et la suite allait me donner raison. Enfin…, en partie. L'homme était bel et bien à l'origine de quelque chose de grave et j'étais la seule à savoir, à peu près, à quoi il ressemblait…

Vers 9 heures, deux infirmiers costauds sont arrivés dans la chambre pour nous annoncer l'arrivée d'un nouveau pensionnaire. Comme le lit de Li était libre, un autre malade pouvait prendre sa place. Qui allait le remplacer ? Garçon ou fille ? Nous étions tous les trois impatients de le savoir. Personnellement, j'espérais bien une fille. Il y avait assez de garçons comme cela. Et puis, j'avais bien envie d'avoir une bonne copine. J'avais déjà mes plans : tant pis pour Karissa, je laisserais Bertrand à la nouvelle puisque mon choix s'était porté sur Sylvain dès la première minute où je l'ai vu. Je craquais quand il posait ses beaux yeux sur moi. Je le trouvais beau et intelligent. Son pansement sur la joue lui donnait un charme fou ! Et même si nous n'étions pas d'accord au sujet de l'inconnu de la nuit, je me demandais si je ne commençais pas à être amoureuse de lui…

Après avoir ouvert la porte toute grande, les infirmiers ont roulé une civière près du lit vide. Les deux hommes en blanc se sont placés à la tête et aux pieds du malade pour le déposer délicatement dans le lit, de sorte que nous ne pouvions pas voir à quoi il ou elle ressemblait. L'enfant devait dormir ou peut-être restait-il silencieux. Un enfant ou un adolescent malade, c'est toujours très timide. Être hospitalisé, c'est toute une expérience. Je pouvais en témoigner. Comme Bertrand, Sylvain et moi étions passés par là, par esprit de solidarité, nous étions décidés à nous occuper du nouveau. Il faudrait le calmer, l'apaiser, le rassurer, le consoler.

Quand les infirmiers ont quitté les lieux, Bertrand et moi avons immédiatement sauté par terre pour nous approcher de notre nouveau compagnon de chambre. Surprise et stupéfaction ! Il ne s'agissait pas d'un enfant. Le nouveau malade était une grande personne !

– Tu devrais être contente, c'est une fille ! dit Bertrand, en éclatant de rire. Je me demande en quelle classe elle peut être. Qu'en penses-tu ?

Je ne le savais pas aussi moqueur. S'il continue à rire aussi fort, il va la réveiller, et on aura l'air fou ! En tout cas, ça ne faisait aucun doute : on nous avait refilé une femme et une femme d'un certain âge.

– À mon avis, elle est plus vieille que maman, mais plus jeune que mamie Gâteau. Entre les deux, quoi. De toute façon, elle est beaucoup trop vieille pour être là, dis-je en me tournant vers Sylvain.

– Êtes-vous sûrs que c'est une femme ? dit Sylvain, sceptique. Regardez bien !

Le pauvre, il n'avait pas osé descendre de son lit à cause du plâtre et des bandages. « J'aimerais bien qu'il me croie sur parole des fois celui-là », ai-je pensé.

– Non seulement c'est une femme, mais elle n'est plus toute jeune ! rétorqua Bertrand, abasourdi.

Cette fois, Sylvain le crut et ne manqua pas d'être étonné. Un garçon était-il plus crédible que moi ?

– C'est impossible ! ai-je ajouté. Ils ont dû se tromper ! On ne peut pas mêler les grandes personnes avec les enfants dans un hôpital. A-t-elle besoin d'un pédiatre ou d'un gérontologue ? Souffre-t-elle de rougeole ou d'ostéoporose ?

Je voulais épater les garçons en faisant l'étalage de mes connaissances médicales. Je m'y connais un peu parce que ma grand-mère m'a offert un jeu de société il y a un an ou deux… En jouant au « Petit docteur », c'est le nom du jeu, j'ai acquis un peu de vocabulaire. Sylvain a semblé impressionné…

« Mademoiselle » Épicure est entrée dans la chambre pour reprendre nos plateaux et voir si tout allait bien avec la nouvelle patiente. Nous n'avions pas avalé une seule bouchée. L'événement nous avait fait oublier notre petit-déjeuner. Nous avions une foule de questions à poser, mais le dragon n'était pas prêt à y répondre.

— Retournez au lit, les enfants ! Qui vous a autorisés à vous lever ? Il faut manger pour vous remettre sur pied ! Vous allez me mettre en retard si ça continue.

— Mais « Mademoiselle », s'il vous plaît, dit Bertrand poliment, vous ne croyez pas qu'il y a un problème ? Cette femme est trop âgée pour être dans la même chambre que nous. C'est sûrement une erreur. Et pas une petite erreur, une grosse erreur !

— Sachez qu'il n'y a jamais d'erreur ici, jeune homme. J'ai en main la fiche de cette malade. Elle doit être là où elle se trouve, c'est-à-dire ici, dans la chambre 131. L'ordinateur central de l'hôpital ne fait JAMAIS d'erreur !

— C'est impossible, ai-je insisté. On ne peut pas mettre des adultes avec des enfants dans une chambre d'hôpital. Les pédiatres ne soignent pas les adultes. De quoi souffre-t-elle, cette femme ? Sa maladie n'est pas contagieuse au moins ?

– Suffit maintenant ! dit « Mademoiselle » Épicure, en haussant le ton.

Toujours aussi aimable, la demoiselle… Mais si l'ordinateur central ne commet pas d'erreur, c'est donc elle qui est fautive. En y réfléchissant bien, je comprends que pour elle, il n'y a rien d'étonnant à ce qu'une dame âgée soit parmi nous. Elle est à peu près du même âge…

Mais se pouvait-il que les deux infirmiers se soient trompés aussi ? D'où provenait cette erreur ? Comment une chose pareille pouvait-elle se produire ?

Au fond, ça nous était bien égal qu'elle soit jeune ou vieille, la nouvelle. Elle dormait tout le temps, et encore plus profondément que Li. Elle bougeait peu, mais elle ronflait. Et fort, en plus ! La nuit s'annonçait mal avec ce concert… Ce lit avait-il donc des vertus spéciales pour faire sombrer tout le monde dans un profond sommeil ? En tout cas, moi je n'avais aucune envie de dormir. J'étais énervée, agitée, excitée, déchaînée, et surtout je voulais quitter cet hôpital au plus vite.

J'essayais de me calmer en me disant que j'allais sortir avant la nuit. Maman avait sûrement été prévenue et elle viendrait me chercher dans la soirée, après son travail. Il n'y avait plus aucune raison de rester ici. Mon petit bout de chair était à sa place dans son bocal. Je ne ressentais plus la moindre douleur. Mon appétit était revenu comme avant et je méritais bien une belle tranche de gâteau au fromage.

Je devais à tout prix sortir de cet endroit, car un gâteau au fromage est, à coup sûr, introuvable dans les cuisines d'un hôpital. Maman ferait bien de m'en offrir un si elle veut que je lui pardonne d'avoir incriminé cet inoffensif gâteau. De plus, une fois chez moi, je retrouverai mon ordinateur et je n'aurai plus besoin de courir le risque de me faire attraper en pyjama dans les couloirs de l'hôpital. Évidemment, je devrai encore supporter Léa, mais rien n'est parfait… Et puis, si je rentre à la maison, mon lit d'hôpital pourra servir à quelqu'un d'autre. Je pourrai aller patiner au lieu de me morfondre dans cette chambre, sans gâteau au fromage ni ordinateur. Qui me remplacera ? Un vieux monsieur, peut-être ? On peut s'attendre à tout dans ce drôle d'hôpital…

Finalement, j'ai passé une autre nuit à l'hôpital. Le lendemain matin, toujours à la même heure, le même bruit de pas retentit dans le couloir. Le bataillon médical allait faire son entrée. J'étais impatiente de voir si le spectacle allait être aussi impressionnant que d'habitude. À la tête du cortège, le même docteur barbu est entré dans la chambre, les cheveux toujours en bataille. Les mêmes étudiants le suivaient. J'ai reconnu le petit rouquin qui m'a décoché un sourire en coin quand il a croisé mon regard. Tout était prêt, tout était en place… le spectacle pouvait commencer !

Le médecin en chef s'est placé devant le lit de la nouvelle malade et il a commencé son numéro. Comme la femme dormait toujours, il ne s'est pas adressé directement à elle. Il s'est contenté de lire sa fiche en lançant un coup d'œil aux deux jolies jeunes filles – une blonde et une brune – qui le suivaient de près. Les deux étudiantes le dévoraient des yeux. Ce détail m'avait échappé la première fois. Ma parole ! elles sont amoureuses de lui. Je n'en revenais pas. Comment ce grand prétentieux en blouse blanche pouvait-il leur plaire ? Chacun ses goûts. Moi, je préfère Sylvain.

L'admirable médecin a commencé son discours en jetant un œil sur la fiche :

– Voici une jeune fille qui souffre de la varicelle. Malheureusement, comme elle dort sur le ventre, vous ne pouvez pas voir son visage couvert de boutons. La varicelle est une maladie bénigne, la plupart du temps. Toutefois, certaines complications justifient parfois l'hospitalisation. Comme vous le savez, la varicelle est une maladie très contagieuse. Nous nous sommes donc assurés que les autres occupants de la chambre avaient déjà eu cette affection. Tous ces renseignements se trouvent dans l'ordinateur central de l'hôpital. Notre système informatique est très puissant. La mémoire de l'ordinateur est phénoménale et peut enregistrer tous les résultats des examens médicaux que les patients subissent durant leur vie ! J'espère que vous mesurerez l'efficacité de notre système informatique et les grands services qu'il nous rend pour répondre aux besoins de la population.

Sans doute s'attendait-il à des applaudissements après un tel discours… Voyant que le petit rouquin chuchotait quelque chose à l'oreille de son copain, il leur dit :

« Prenez des notes, messieurs, au lieu de bavarder. L'examen portera peut-être sur ce sujet. Ce n'est pas en vous amusant que vous deviendrez de bons médecins ! Allons donc, soyez sérieux ! »

Les deux étudiants ont placé leur bloc-notes devant eux et ont fait semblant d'écrire pour satisfaire leur patron qui poursuivait :

« Il n'y a pas de questions ? »

Avant que quelqu'un ose poser une question…, il est passé au deuxième malade, c'est-à-dire à Bertrand.

Je regardais plus que je n'écoutais. Cependant, sans en être vraiment sûre, il m'avait semblé entendre le médecin dire que la nouvelle venue était une jeune fille. C'est vrai qu'il avait aussi dit qu'on ne la voyait pas distinctement… Se pourrait-il que je me sois trompée à ce point sur son âge ? Non, non, Bertrand l'a vue, lui aussi. Je décidai de prêter une oreille plus attentive.

« Bonjour, jeune homme ! dit le cher médecin en regardant simultanément la feuille des températures et la fiche… Alors, l'opération est prévue pour aujourd'hui à ce que je vois. L'ablation des amygdales est une intervention bénigne. Le docteur Opinel passera vous voir tout à l'heure avec le docteur Traum. Vous serez en salle d'opération à 10 heures. »

C'est ce qui s'appelle une impression de déjà vu. Léa m'avait expliqué ce curieux phénomène un jour : on a la conviction d'avoir déjà vécu une situation présente et on a l'impression d'éprouver les mêmes sentiments. Son examen de psychologie avait porté sur ce phénomène. Pour une fois qu'elle m'apprenait quelque chose… Mais dans mon cas, c'était bien plus qu'une impression. Je revivais la situation de l'avant-veille : même regard langoureux aux deux jeunes étudiantes, même inattention des deux garçons sympathiques, même indifférence des autres, même diagnostic ou presque, même déplacement du médecin et de sa troupe vers le lit suivant.

C'était maintenant au tour de Sylvain. Jusque-là, le spectacle n'était pas très intéressant. Je me disais qu'il faudrait un peu de piquant.

C'est alors que le miracle se produisit. Le spectacle était devenu soudainement très amusant.

« Alors, jeune homme, comment allez-vous ce matin ? Vous êtes tombé, n'est-ce pas ? »

Jusque-là, tout semblait normal, mais en écoutant la suite…

« Fracture du col du fémur. C'est très rare à votre âge, vous avez l'air si jeune. »

Le médecin était un peu troublé, mais il a continué :

« Voyons ce que dit la fiche : M. Étienne Vachon. Vous avez 99 ans. Félicitations, vous avez l'air de très bien vous porter ! »

Les deux garçons sympathiques riaient tellement qu'ils se tenaient les côtes. Parmi les autres étudiants, ceux qui écoutaient étaient abasourdis, ceux qui pensaient à autre chose ne bronchaient pas et faisaient semblant d'être attentifs aux explications du patron. Sylvain voulait intervenir, dire quelque chose, répliquer, contester, mais il n'osait pas. Il était trop ébranlé par ce qui se passait.

Pendant un temps, tout le monde a cru que le médecin ne s'était aperçu de rien. Soudain, le grand barbu costaud a changé de couleur ; il est devenu tout pâle. Il s'est mis à transpirer à grosses gouttes, puis, pris d'un vertige, il a demandé qu'on lui apporte une chaise. Il avait l'air bien malade tout à coup, le médecin. C'est tout de même cocasse de voir un médecin mal en point…

J'étais bien tentée de lui offrir mon lit. Moi, je n'en ai plus besoin…

« Quelque chose m'échappe, je crois… »

Voilà les premières paroles du médecin qui reprenait ses esprits. Il s'est tu quelques minutes et a paru absorbé dans ses pensées. Puis, retrouvant toute son énergie, il s'est mis à hurler :

« Qui est l'imbécile qui a mélangé les fiches ? Elles doivent toujours être vérifiées avant de m'être remises. Ce n'est pas le service de

GÉRONTOLOGIE ICI. QU'ON M'APPORTE LES BONNES FICHES : CELLES DE LA CHAMBRE 131, DANS L'AILE DE LA PÉDIATRIE. IM-MÉ-DI-A-TE-MENT ! »

Sa voix a dû retentir dans tout l'hôpital, du premier étage où nous étions, jusqu'au onzième, et au sous-sol aussi. La femme qui occupait le lit de Li s'est réveillée en sursaut et s'est redressée. Elle écarquillait les yeux et regardait ce qui se passait, sans comprendre. L'étudiant rouquin était plié en deux ; son copain se tordait lui aussi. Et le fou rire a contaminé toute l'assemblée. Tout le monde riait à gorge déployée en contemplant la scène ! Ça, c'est une contagion agréable. Une épidémie de « rigolo-logie »… Youpi, la maladie ! Je ne me souviens pas d'avoir vu cette maladie dans la liste des pathologies de mon jeu de société ! Il faudra l'ajouter. Il y a comme cela des affections que les chercheurs découvrent dans leurs laboratoires… On commence à s'amuser ici après tout !

« Mademoiselle » Épicure est arrivée dans la chambre en coup de vent. Avec sa jupe serrée, elle avançait à petits pas pressés, et j'avais vraiment peur qu'elle tombe. Elle s'est dirigée vers le médecin et lui a tendu une pile de fiches qu'elle venait d'imprimer dans son bureau. Elle s'est plantée devant lui et l'a regardé d'un air piteux. Elle faisait la même tête que Marie-Hélène, la première de ma classe, quand, par malheur, elle n'avait pas 100 % à un examen. Curieusement, je n'éprouvais pas plus de sympathie envers

« Mademoiselle » Épicure qu'envers Marie-Hélène…

Le pire, c'est que les nouvelles fiches étaient aussi fausses que les premières ! Toujours assis sur sa chaise, le médecin, incrédule, examinait les fiches dans tous les sens. Il bredouillait des mots inaudibles. Après avoir marmonné dans sa barbe, il a redressé la tête et s'est adressé à « Mademoiselle » Épicure. Ses paroles ont retenti dans toute la chambre. La pauvre infirmière était dans tous ses états. Là, j'ai presque eu de la peine pour elle, tant le médecin était méchant et en colère. Il me faisait penser à un gros doberman en furie, avec de la bave blanche au coin des lèvres…

« Dans quelle université avez-vous donc fait vos études ? Êtes-vous sûre d'avoir obtenu votre diplôme ? C'est inquiétant, si c'est le cas… Comment pouvez-vous penser qu'une petite fille (il parlait de moi, en l'occurrence, mais il en rajoutait avec son adjectif « petite ») peut souffrir d'une affection de la prostate ? »

Je n'ai pas compris tout de suite de quoi il parlait. Puis, je me suis rappelé que mamie Gâteau se plaignait toujours de ces allers et retours de papi qui se levait la nuit pour aller faire pipi à cause de sa prostate… « Je suis une fille, moi ! Je n'en ai pas de prostate ! ! ! » Le médecin ne décolérait pas :

« Je vous préviens, si vous ne m'apportez pas les bonnes fiches, je vous envoie au service de la comptabilité pour recevoir votre dernière paye. Les gens aussi incompétents ne devraient pas travailler. Il y a beaucoup d'infirmières qui seraient heureuses de prendre votre place… »

Je commençais à trouver que le médecin exagérait. Je voulais me porter à la défense de « Mademoiselle » Épicure. En pensée, je sautais de mon lit et je poussais l'horrible médecin hors de la chambre. Je lui disais de se taire, d'arrêter d'être méchant, de se calmer et de présenter ses excuses… Mon professeur de morale dit qu'on assassine les gens en leur faisant honte en public. À quoi ça sert d'insulter les gens comme ça ? Il n'avait qu'à aller les chercher lui-même, les bonnes fiches.

Drôle de début de journée, quand même ! Finalement, tout le monde a quitté la chambre et nous sommes restés assommés tous les quatre. Chacun s'interrogeait en silence. Bertrand se demandait si on allait l'opérer à 10 heures. Sylvain se questionnait sur le rapport entre sa chute et celle d'un homme de 99 ans. La femme voulait savoir pourquoi elle partageait une chambre avec des enfants. Nous avons appris qu'elle avait été admise à l'hôpital pour des calculs rénaux : ce sont de petits cailloux qui se forment dans les reins. Le chirurgien les lui avait enlevés quelques heures plus tôt. C'est pour cela qu'elle dormait tant. Elle ressentait encore les effets de l'anesthésie. Elle avait eu la varicelle quand elle avait six ans. Elle avait été très étonnée, en s'éveillant, de voir tout ce brouhaha. Quant à moi, j'étais sûre d'une chose, c'est que je n'avais pas de problème de prostate et que je n'en aurais jamais. Toutefois, je me demandais si le personnel de l'hôpital savait que j'avais été opérée. Je ne voulais surtout pas repasser sous le bistouri. J'avais peur qu'on m'endorme et qu'on m'ouvre le ventre encore une fois pour... ne rien trouver ! J'étais bien décidée à ne pas me laisser faire.

Chapitre 4

Crime ou pas crime ?

Un peu plus tard, le docteur Opinel et le docteur Traum sont entrés dans la chambre comme si de rien n'était. Ils venaient voir Bertrand qui a blêmi immédiatement en les voyant. Le pauvre n'était pas aussi chanceux que moi. Ni son père ni sa mère ne pouvaient s'absenter de leur travail et venir à l'hôpital pour le réconforter avant ou après l'intervention chirurgicale. Bertrand en rajoutait aussi un peu pour qu'on s'apitoie sur son sort. Par moments, j'en avais assez de ses peurs et de ses jérémiades, jusqu'à ce que son inquiétude s'envole comme par magie, grâce à nos fines déductions. En effet, depuis le départ de « Charlemagne à la barbe fleurie » (j'ignore encore le nom du médecin en question), de l'infirmière et de tous les étudiants, et de notre prise de conscience de l'invraisemblable imbroglio dont nous avions été témoins, les discussions allaient bon train dans la chambre. Entre autres choses, nous présumions que, puisque l'hôpital était sens dessus dessous, Bertrand devrait attendre avant d'être opéré.

Même la nouvelle malade – elle se prénommait Huguette – était de cet avis. Bertrand s'était soudainement senti soulagé. Cette conclusion collective l'avait comblé de joie. Il n'était pas pressé de se faire enlever les amygdales. Même la perspective de manger de la crème glacée ne parvenait pas à l'aider à surmonter cette épreuve.

Les garçons sont souvent moins courageux que les filles. Je n'avais pas fait tant de manières, moi ! Et on admettra que se faire couper le ventre pour fouiller à l'intérieur et en retirer un morceau, c'est nettement pire que d'être chatouillé dans la gorge par la bouche grande ouverte ! De toute façon, comme on ne s'aperçoit de rien dans les deux cas, ce n'est pas la peine d'en faire toute une histoire.

Quoi qu'il en soit, personnellement, je me réjouissais de la visite des deux médecins. C'était l'occasion de me faire remarquer pour éviter d'être la victime d'une erreur plus grave que la première. Être confondue avec un homme, passe encore, mais retourner sur la table d'opération, non merci !

J'ai souri de toutes mes dents aux deux hommes et je leur ai fait les yeux doux. Irrésistibles ! Ils m'ont saluée chaleureusement et m'ont demandé si j'allais bien. Ils sont même allés jusqu'à m'annoncer que je sortirais probablement le jour même ou au plus tard le lendemain.

Je n'arrivais pas y croire. De toute évidence, l'anesthésiste et le chirurgien ignoraient tout des événements du matin. Charlemagne n'avait pas crié assez fort et personne n'avait remarqué qu'une femme était prise pour une petite fille pleine de boutons. Sans parler du reste ! Je suis restée muette de stupéfaction. Les médecins ont récité à Bertrand – sans jeter un regard vers Huguette – les mêmes recommandations qu'à moi.

Était-il possible que le mélange des fiches nous ait touchés tous, sauf Bertrand ? Le service de chirurgie était-il épargné ? Tout pouvait-il être rentré dans l'ordre si rapidement ? Le programme informatique avait déjà été rétabli puisque l'ordinateur avait fourni les bons renseignements. Il ne restait plus qu'à mettre les fiches imprimées en ordre. Charlemagne retrouverait ses forces et son panache, Geneviève ne se ferait plus enguirlander et moi, je retournerais tranquillement chez moi... Il est vrai que l'ordinateur ne se trompait jamais ou « presque » ...

Ce scénario me convenait très bien. Ce n'est pas tellement rassurant d'être identifié à quelqu'un d'autre, dans un hôpital. Allez savoir quels médicaments on peut vous faire avaler et quels examens inutiles on peut vous faire subir. Tant mieux si tout est rentré dans l'ordre : c'est ce que nous espérions tous, excepté peut-être Bertrand. Nous avions bien ri, le spectacle nous avait plu, mais la perspective de nous faire charcuter inutilement nous paraissait moins drôle. Et puis, il était temps de rentrer à la maison, du moins pour ceux qui étaient guéris.

Cependant, la réalité était tout autre. Il peut parfois être dangereux de se fier aux apparences. Maman a bien dû me répéter cette phrase mille fois. En fait, rien n'était réparé, mais nous l'ignorions. La situation empirait d'heure en heure. Le désordre n'était peut-être pas encore général, mais il n'allait pas tarder à toucher tous les services de l'hôpital et tous les malades...

Juste au moment où il allait sortir de la chambre pour appeler les brancardiers à l'intention de notre copain, le docteur Opinel a finalement remarqué Huguette. Elle-même attendait que la consultation avec Bertrand soit terminée pour lui adresser la parole.

– Bonjour, docteur. Avant que vous quittiez la chambre, j'aimerais vous dire un mot, s'il vous plaît. Pouvez-vous m'aider ? Il y a eu méprise à mon sujet. Ce n'est pas dans cette chambre que j'aurais dû me trouver après mon opération. C'est le docteur Trocart – vous le connaissez sûrement – qui m'a opérée. Et je…

Le docteur Opinel interrompit Huguette. Visiblement, il ne l'écoutait pas ou il était trop stupéfié pour prêter attention à ses paroles.

– Mais qu'est-ce que vous faites là ? ! ! !

Il fallait voir la tête qu'il faisait en disant ces huit mots !

– C'est exactement la question que je vous posais, docteur, lui répéta Huguette, un peu plus insistante. Je ne suis pas là où je devrais être, nous sommes d'accord là-dessus. En outre, aucune infirmière n'est venue dans la chambre depuis la visite du médecin, tôt ce matin. J'aurais voulu en appeler une, dans le couloir, mais je suis incapable de me lever. J'ai des vertiges. Et comme j'ai dormi longtemps…

Pendant que Huguette tentait d'expliquer au docteur Opinel ce qui s'était passé, le docteur Traum s'était approché et se mêla à la conversation. Ils la bombardèrent de questions :

« Qui vous a amenée ici ? Pourquoi n'avez-vous rien dit aux brancardiers ? » « Où est passée l'infirmière ? » « Comment se fait-il que personne n'ait remarqué quoi que ce soit au cours de la visite matinale ? » « Qu'est-ce qui se passe encore ? » « Comment se fait-il ceci ? Comment se fait-il cela ? » « Et pourquoi ceci ? Et pourquoi cela ? » « Et encore quoi ceci ? Et encore quoi cela ?… »

Ils me fatiguaient avec toutes leurs questions auxquelles ils n'essayaient même pas de répondre. Que s'imaginaient-ils que Huguette pouvait leur apprendre ? Et puis qu'est-ce que ça changeait de connaître la raison pour laquelle elle s'était retrouvée chez nous. Elle était là, un point c'est tout. Ils n'avaient qu'à la mettre ailleurs.

La pauvre Huguette n'était pas plus avancée ni nous non plus. Les deux médecins avaient l'air de l'accuser, alors qu'elle était parfaitement innocente. Elle avait dormi longtemps et elle n'avait pas pu se renseigner avant. Maintenant qu'elle était réveillée, grâce aux cris retentissants de Charlemagne, elle demandait des explications, tout simplement. Apparemment, ce n'était ni le bon moment ni les bonnes personnes…

Il est vrai qu'un chirurgien et un anesthésiste n'ont pas à être au courant ou à se mêler de toute l'organisation d'un hôpital. Personnellement, je préfère qu'ils se consacrent à leur spécialité. J'imagine la scène : un anesthésiste qui oublie d'endormir correctement son malade. Celui-ci se réveille et voit son ventre ouvert… Ou bien un chirurgien qui laisse tomber un petit objet dans l'incision du malade avant de le recoudre… J'en ai la chair de poule. Huguette était une femme charmante et agréable. Nous étions déjà attachés à elle. S'ils ne trouvaient pas de solution pour l'envoyer ailleurs, nous étions parfaitement d'accord pour la garder chez nous.

Les deux spécialistes sont sortis de la chambre, puis ils sont revenus. Ils avançaient d'un pas résolu, mais ils n'avaient pas l'air sûrs de ce qu'ils allaient décider. Ils sont ressortis et sont revenus encore une fois. Sur le seuil de la porte, ils ont chuchoté et ont tourné les talons. Finalement, ils sont revenus avec un lit à roulettes pour emmener Bertrand.

– Écoutez, dit le chirurgien en s'adressant solennellement à toutes les personnes dans la chambre. Je ne sais pas trop ce qui se passe ici, mais mon collègue et moi avons pris une décision : nous allons opérer Bertrand à l'heure prévue.

– « Prévue », c'est beaucoup dire, rectifia l'anesthésiste. Si je me fie à la fiche médicale que j'ai en main, l'opération ne serait plus prévue du tout. Votre camarade s'appelle Bertrand Goissé. Pourtant, si je me fie aux fiches, il se serait miraculeusement transformé en un nouveau-né. Le bébé aurait des problèmes d'allergie et il faut le nourrir avec une autre sorte de lait… vous voyez le genre de confusion…

Ensuite, s'adressant directement à Bertrand, il dit :

– Nous prenons la responsabilité de t'opérer quand même, jeune homme, parce qu'il faudra sans doute beaucoup de temps avant que l'ordre soit rétabli. Je t'assure que tu es le malade le plus chanceux de tout l'hôpital. Nous te connaissons bien maintenant, et nous savons de quoi tu souffres exactement. Nous n'avons plus besoin de consulter les fiches.

Il se tut, réfléchit un moment et reprit :

– Quant à vous, madame…, il s'adressait enfin à Huguette qui espérait une réponse satisfaisante…, je ne sais pas trop quoi vous dire. Prenez votre mal en patience. Je suppose que quelqu'un viendra vous chercher pour vous emmener dans une autre chambre.

Rien n'allait plus dans cet hôpital. Les fiches, les malades, les dossiers : la confusion totale ! Les âges, les noms, les pathologies, les remèdes : le chaos. La situation ne semblait pas grave. Elle ÉTAIT grave ! Un problème de piratage informatique ? Une erreur de programmation ? « Un virus humain transmissible aux ordinateurs », avait suggéré Huguette. Là, j'ai protesté énergiquement. Elle n'y connaît peut-être rien en informatique, mais ce n'est pas une raison pour dire n'importe quoi. J'avoue qu'elle m'a fait penser à ma mère, mais en pire. On parle de « virus » informatiques, mais ils sont fabriqués par les humains. J'ai expliqué à Huguette que ce sont des programmes qui détruisent une partie de la mémoire du disque dur, qui s'insinuent dans les fichiers et qui éliminent ou transforment les données. Mais c'était trop lui demander. Comme elle ne saisissait vraiment rien à rien, j'ai abandonné mes explications et je lui ai dit simplement que je savais de quoi je parlais, qu'elle pouvait me croire, et qu'on me surnommait « la puce » justement parce que je m'y connaissais bien en informatique. Ça non plus, elle n'a pas compris... Elle croyait que « la puce », c'était à cause de ma « petite » taille. Elle ne voyait pas le rapport avec les virus... Il valait mieux que j'arrête.

Nous avons passé le reste de la matinée à attendre ce qui allait arriver. J'ignore quelle était l'opinion des autres, mais personnellement, j'en avais vraiment assez de voir ces murs blancs autour de moi, de n'avoir qu'un lit pour tout espace de vie et de respirer cette odeur d'antiseptique qui me donnait envie de vomir. Pire encore, voilà que rien ne fonctionnait plus normalement. Nous nous sentions seuls et oubliés de tous. Mis à part les deux médecins, personne ne nous avait rendu visite. Pas même une préposée aux soins à l'horizon. Finalement, deux cuisiniers nous ont apporté nos repas. Il était près de 13 heures et nous étions affamés. Sylvain a été obligé de garder le pansement de la veille. Nous nous demandions où étaient passés les infirmiers. Il n'y avait personne pour ramener Bertrand. Le chirurgien et l'anesthésiste l'ont ramené eux-mêmes du bloc opératoire. Bertrand était content que tout se soit bien passé, mais il a rouspété quand il a appris qu'il devrait attendre pour la crème glacée. Les cuisiniers n'en avaient pas apporté. Ils ont promis de revenir dès qu'ils le pourraient. Le repas était meilleur que les autres fois. Même Sylvain était content de manger enfin quelque chose de consistant. De belles assiettes pleines de spaghettis avec de la sauce aux tomates. Huguette hésitait : elle se demandait si elle risquait d'avoir de nouveaux calculs avec un tel repas. L'un des cuisiniers lui a dit que sa mère avait souffert de la même maladie. Il se souvenait qu'elle devait boire beaucoup d'eau. Ça, Huguette le savait. Elle l'a tout de même remercié et a décidé de manger les spaghettis. Elle nous a dit que sa recette de sauce était meilleure et qu'elle nous inviterait peut-être, un jour, à la goûter. Comme dessert, nous avons eu droit à une délicieuse barre de chocolat et à une banane. Les deux cuisiniers nous ont aussi laissé quelques muffins du matin pour le cas où nous aurions encore faim. Après tout, la panne d'ordinateur n'avait pas que des inconvénients.

Dans l'après-midi, j'ai proposé à Sylvain, qui n'en pouvait plus de rester dans son lit, de risquer un coup d'œil dans le couloir. Il boitait à cause de son plâtre, mais il arrivait à avancer en sautillant sur sa jambe droite. Nous avons entrouvert la porte délicatement et sans faire de bruit, un peu comme des voleurs, nous avons étiré le cou pour regarder à gauche et à droite. Incroyable, mais vrai : le couloir était vide. Rien ! Personne ! Le silence… L'hôpital ressemblait à une ville fantôme, lui qui grouille de monde habituellement. Pas d'infirmiers qui courent dans tous les sens, pas de lits roulants en attente sur les côtés, pas de médecins qui vont d'une chambre à l'autre, pas même de parents pour rendre visite aux malades ! Nous avons décidé de retourner dans notre lit et de réfléchir à ce que nous allions faire. Où était donc passé tout le monde ? Étions-nous les seuls à être encore là ? On ne pouvait tout de même pas nous avoir abandonnés ! Qu'allions-nous faire ? Encore heureux qu'on nous ait nourris ! Et moi qui avais dit à maman au téléphone la veille que tout allait bien, qu'elle ne devait pas s'inquiéter ! Si elle savait… ! J'espérais bien qu'elle m'appelle de nouveau ! Je devais lui raconter ce qui se passait ici. Nous avions bien mangé, mais ce n'était pas suffisant. Nous voulions savoir ce qui se passait.

En plus de ses nombreux livres, Sylvain avait, dans ses affaires, un baladeur. Il ne s'en était pas servi depuis son arrivée à l'hôpital et avait même oublié qu'il l'avait emporté. Il s'en est soudainement rappelé et a suggéré de l'écouter. Peut-être apprendrions-nous quelque chose en nous branchant sur les informations. Je rageais de ne pas avoir emporté mon ordinateur portable. J'aurais été en contact avec l'extérieur depuis longtemps. Nous aurions pu visiter le site Web de l'hôpital qui doit bien signaler qu'un incident est survenu. Je me disais aussi que ma messagerie devait être archi-pleine. Il fallait absolument que j'y fasse le ménage, sinon d'anciens messages importants allaient sûrement disparaître. Il n'y a pas beaucoup de mémoire dans ma boîte de courrier électronique !

Comme nous ne pouvions pas tous écouter la radio, qui n'avait pas de haut-parleurs, Sylvain a mis les écouteurs dans ses oreilles et nous a rapporté tout ce qu'il entendait.

Bonjour, chers auditeurs. Il est 14 heures. Voici les nouvelles avec Didier Lemieux. Montréal jouit d'une belle journée ensoleillée, mais il fait un froid de canard : -45 °C avec le facteur vent ! C'est un record pour la saison. Mieux vaut rester à la maison. Les prévisions pour demain, blablabla… Le premier ministre s'est dit très satisfait, blablabla… À l'étranger, des pourparlers de paix sont en cours à… blablabla. En sport, l'équipe de hockey… blablabla. C'est ainsi que se termine ce bulletin d'informations. Merci de votre attention.

Rien sur l'hôpital ! Je le voyais bien le beau soleil par la fenêtre de la chambre. Je voyais bien aussi que le vent soufflait fort. Il ne restait plus un seul petit flocon de neige sur le gros arbre ! Ça ne m'expliquait pas ce qui se passait ici.

– Es-tu bien sûr qu'ils n'ont rien dit sur l'hôpital ? Rien de rien ? insistait Bertrand qui doutait de la capacité d'écoute de Sylvain.

– Rien ! Je sais ce que je dis. Je vous ai rapporté tout ce que j'ai entendu. C'était quasiment de la traduction simultanée, sauf que c'était du français au français. Mais je peux vous le refaire en anglais si vous y tenez.

Sylvain m'avait dit qu'il songeait à faire des études de langues à l'université. Il envisage de devenir interprète. Comme il a déjà une solide connaissance du français et de l'anglais, ça lui sera très facile. Il pourrait même apprendre d'autres langues. Il aimerait traduire les discours des hommes d'État dans les instances internationales ou les communications des grands scientifiques dans des colloques universitaires partout dans le monde. Ça l'intéresse beaucoup même s'il hésite encore. Là, il ne s'était pas tellement fatigué en traduisant du français au français... Moi aussi j'étais capable de le faire. Le pire, c'était d'avoir l'impression qu'on nous avait abandonnés dans cet immense hôpital. Il fallait faire quelque chose.

– Qu'en penses-tu, Sylvain ? Si nous sortions carrément pour voir ce qui se trame ici ? Si vraiment l'hôpital est vide, nous en aurons le cœur net. Ensuite, nous pourrons communiquer avec l'extérieur.

– C'est une très bonne idée, me répondit-il.
Allons-y !

Pour une fois, mon gracieux camarade de
chambre tenait compte de mes propositions. J'en
ai éprouvé un plaisir fou. Je n'avais plus cette
désagréable impression d'être la petite innocente
qu'on ne prend jamais au sérieux. Sylvain me
plaisait vraiment beaucoup. Comment résister à
un pareil sourire ?

Il n'était pas question pour Huguette de
partir en expédition avec nous. Elle avait bien
tenté de se mettre debout sur ses deux jambes,
mais elle avait failli tomber. Elle se sentait étour-
die. Ce devait sûrement être une impression de
l'intérieur parce que, moi, j'avais bien vu que son
corps ne bougeait pas. Bertrand non plus ne nous
accompagnerait pas. Son opération était trop
récente et il craignait d'aggraver son cas. Je le
trouvais un peu peureux. Il redoutait aussi de se
faire disputer par ses parents. Il a dit qu'il réflé-
chirait et qu'il nous accompagnerait peut-être
une autre fois.

Au fond, je préférais que Bertrand et Huguette
ne viennent pas avec nous. J'envisageais avec
exaltation mon aventure avec Sylvain. C'était
l'occasion de resserrer nos liens. Témoin de ma
bravoure, il m'admirerait sûrement. Je voulais
tellement qu'il me remarque, qu'il m'apprécie,
qu'il m'estime. Je crois que je souhaitais surtout
lui plaire et qu'il tombe amoureux de moi. Je voulais qu'il partage mes sentiments, tout simplement !

– OK ! Allons-y, dit Sylvain sur un ton

décidé. Nous vous ferons un compte rendu en revenant. De toute façon, il est probable qu'il n'y aura rien à raconter.

– Je suis prête. As-tu besoin de mon aide pour marcher ? Avec ton plâtre, ça ne doit pas être facile !…

Le couloir était vide. Nous ne savions pas trop où aller. Ce désert n'était pas très inspirant. Par ailleurs, il laissait le champ libre pour notre exploration. J'ai proposé de nous diriger vers le bureau de la secrétaire pour trouver un ordinateur ou un téléphone, et communiquer avec quelqu'un de l'extérieur. Je connaissais le chemin, je l'avais déjà parcouru. J'espérais ne pas faire face au vieux monsieur que j'avais rencontré.

Sylvain avançait très lentement au début. C'était comme s'il avait perdu l'habitude de marcher. Il était resté longtemps immobilisé dans un lit avec une tige de métal dans le tibia. Il ressemblait à un bagnard traînant un boulet à une chaîne accrochée autour du pied. Sa jambe droite, plus lourde que la gauche, s'attardait derrière son corps. Son épaule bandée entravait ses mouvements. Il n'y avait que le pansement sur sa joue qui ne le dérangeait pas.

– Quand je pense à ce qui s'est passé ce matin, dit tout à coup Sylvain, je me demande, Déborah, si l'homme que tu as vu l'autre soir n'y est pas pour quelque chose dans toute cette histoire.

Sylvain m'avait appelé par mon prénom !
« Déborah »…, il l'avait prononcé avec tellement
de douceur !

« Déborah », le son résonne encore dans mes
oreilles… Je crois bien que c'est la première fois
que je l'entendais ainsi. Ou alors, je ne l'avais pas
remarqué avant. Incroyable, mais vrai : j'étais en
pâmoison. Il est tellement « chou » ce Sylvain !
Quelle chance j'ai eue d'être malade et de me
retrouver dans la même chambre que lui ! Je
n'aurais jamais eu l'occasion de faire sa connaissance autrement ! Il faut absolument que je
raconte ça à Zina et à Karissa. Elles vont être
jalouses de moi !

– Euh, oui, qu'est-ce que tu disais Sylvain ?
Excuse-moi, je pensais à autre chose…

– Je te rappelais tes paroles d'hier matin, au
réveil. Tu sais bien : cet homme que tu as rencontré… Tu te souviens, n'est-ce pas ? Tu as
même dit qu'il t'avait bousculée.

– Oui, oui bien sûr. J'ai même pensé qu'il
avait commis un coup tordu. Il a touché à
l'ordinateur. Là-dessus, il n'y a aucun doute.
Crois-tu que c'est sa faute si les fiches médicales
racontent n'importe quoi depuis ce matin ?

– Je ne sais pas. C'est possible. Une fois dans
le bureau du secrétariat, nous trouverons peut-
être un indice.

Nous étions presque rendus au bureau.
Devinez qui nous attendait dans le bureau de la
secrétaire ? C'est la question que nous avons
posée à Huguette et à Bertrand quand nous

sommes revenus dans la chambre. Ils ont cru que la bonne réponse était «personne, aucune secrétaire, aucune infirmière». C'était logique, dans la mesure où nous étions convaincus que l'hôpital était désert… Eh bien non ! Il n'était pas désert. Loin de là. Arrivés au secrétariat, nous avons constaté qu'il y avait du monde. «Mademoiselle» Épicure elle-même nous a accueillis avec fracas.

– Qu'est-ce que vous faites ici ? criait-elle de sa voix stridente et disgracieuse. Retournez dans votre chambre ! vous n'êtes pas autorisés à vous lever. Attendez que j'aille dans votre chambre quand vous aurez besoin de quelque chose ! ! !

Tout mon corps s'était mis à trembler. J'étais encore plus terrorisée que le soir avec le vieux monsieur. Pourtant, c'était la nuit, alors qu'aujourd'hui il faisait jour et il y avait Sylvain. Je m'attendais à tout, sauf à une rencontre avec mon infirmière détestée. Je me sentais affreusement coupable, même si je n'avais rien fait de mal. Sylvain a pris la parole.

– Ne vous fâchez pas, «Mademoiselle». Si nous nous sommes permis de sortir de notre chambre, c'est que nous voulions savoir ce qui se passe. Les choses ne fonctionnent pas comme d'habitude. Prenez moi, par exemple, mon pansement n'a pas été changé. C'est pourquoi nous avons pris l'initiative de venir voir…

Sylvain a l'art de calmer les gens autour de lui. Je crois qu'il pourrait devenir dompteur d'animaux sauvages dans un cirque. «Mademoiselle» Épicure s'était soudainement radoucie.

Elle non plus ne résistait pas à son charme. Je la détestais encore plus…

– Je comprends, jeune homme. Mais voyez-vous, je travaille, moi ! Nous sommes très occupés, ici, particulièrement depuis ce matin. Même le directeur de l'hôpital, M. Sentépube, a dû se déplacer pour résoudre un problème très ennuyeux pour l'hôpital. Tout finira par s'arranger, ne vous inquiétez pas. De toute façon, ça ne vous regarde pas. Nous n'avons pas prévenu les malades pour ne pas les inquiéter. Le stress est très dommageable pour la santé. C'est aussi la raison pour laquelle nous avons limité les appels téléphoniques. Ne vous étonnez donc pas si vous ne recevez pas d'appels aujourd'hui ! Tout sera rétabli dans quelques heures. Il n'y a pas lieu de vous alarmer. Retournez dans votre chambre, les enfants, s'il vous plaît.

« Mademoiselle » Épicure était devenue plus gentille, tout d'un coup. Pour une fois ! C'était sûrement à cause de Sylvain.

Chapitre 5

L'enquête commence

– Alors, qu'est-ce que vous proposez, maintenant ? lança Bertrand, après avoir entendu le récit de notre pitoyable escapade dans le couloir.

– Sylvain pense, à juste titre, que le bonhomme de la nuit a peut-être quelque chose à voir avec le piratage, et…

– Tu ne peux pas affirmer d'emblée et sans aucune preuve que c'est du piratage ! rectifia sévèrement Sylvain, en m'interrompant. Ça peut très bien être une simple panne. Ça arrive, parfois… Ou quelque chose d'autre… OK, le bonhomme est suspect. Mais il ne s'agit pas « forcément » de piratage !

Je n'en croyais pas mes oreilles ! Il était sans égal pour me couper les ailes. J'étais découragée. La discussion perdait tout intérêt. L'état de grâce entre Sylvain et moi n'avait duré qu'un temps. Voilà que le garçon pour lequel je craquais me contredisait encore. Fallait-il que nous soyons seuls pour qu'il manifeste un peu de considération à mon endroit ? Dépitée et furieuse… je boudais dans mon coin. Je me suis ressaisie rapidement et j'ai fait comme si de rien n'était. Je n'en pensais pas moins. Curieusement, plus Sylvain m'agaçait, plus j'avais l'impression de l'aimer. A-t-on déjà observé pareil phénomène ?

Tandis que nous élaborions toutes sortes d'hypothèses, Huguette commençait à s'inquiéter un peu. En nous écoutant, elle prenait conscience de la gravité des événements et se demandait si les médecins l'avaient soignée pour ce dont elle souffrait réellement. Pendant que Sylvain, Bertrand et moi étions préoccupés par la situation, mais aussi très excités à l'idée de participer à la résolution de l'énigme, Huguette devenait taciturne. Je ne comprenais pas son malaise. Après tout, elle admettait n'avoir plus mal nulle part. C'était quand même bon signe ! Il est toujours déconcertant de voir comment les grandes personnes peuvent s'inquiéter pour leur santé.

Heureusement pour les gens comme Huguette, nous gardions la tête froide et les idées claires. Nous tenions à contribuer au bien-être de tous. Nous n'étions pas du tout convaincus que le personnel de l'hôpital arriverait à régler le problème sans notre aide. Nous avions déjà de précieux éléments d'information sur l'affaire. En outre, détail non négligeable, nous n'étions pas tout à fait d'accord avec le personnel de l'hôpital sur la méthode à suivre. Pour nous, la communication avec nos parents était essentielle. Mais comment entrer en relation avec l'extérieur si, comme l'avait innocemment annoncé « Mademoiselle » Épicure, aucun appel téléphonique ne pouvait nous parvenir ? Visiblement, le personnel hospitalier avait pris toutes les précautions nécessaires pour empêcher que l'information parvienne au public. Le silence de la station de radio ne laissait aucun doute là-dessus. De toute évidence, la transparence n'avait pas sa place. L'infirmière avait été claire sur ce point, même si elle prétendait que c'était pour éviter la panique chez les patients. Nous ne voyions pas les choses du même œil. La peur aussi est dommageable pour les patients. Les personnes hospitalisées ont besoin d'être rassu-rées. Ce n'est pas en leur cachant la vérité qu'on y arrive. Tous les patients ont le droit d'être informés. Toutefois, devant l'attitude de Huguette, nous avions compris qu'il n'était pas question de passer de chambre en chambre pour annoncer la nouvelle. Nous aurions affolé tout le monde. Pourtant, les gens étaient en droit de savoir. Alors, que faire ? Il nous fallait deman-der conseil, mais pour cela, nous devions com-muniquer avec l'extérieur. Maman, avec son expérience juridique, nous serait d'un précieux secours. Oui, mais comment la joindre ?

Dehors, le soir était tombé et le soleil avait fait place à l'obscurité. Nos élucubrations nous avaient occupés tout l'après-midi. Vers 18 heures, les cuisiniers nous ont apporté le repas du soir. Un peu plus tard, une nouvelle infirmière est apparue pour nous aviser que tout allait bien.

Nous avions convenu de nous montrer impassibles, polis et silencieux. Et chacun de nous a tenu parole. Personne n'a posé la moindre question ni fait la moindre remarque ou objection. Quatre malades exemplaires ! Cependant, dès l'instant où nous avons été sûrs que plus personne ne nous dérangerait, nous nous sommes tenus prêts à agir. Nous avions notre plan. Cette fois, Bertrand nous accompagnerait. Huguette resterait dans la chambre et s'arrangerait pour que personne ne remarque notre absence. D'ailleurs, nous avions placé des oreillers et des vêtements sous nos couvertures pour faire croire que nous dormions paisiblement.

Nous visions deux objectifs. Le premier était de sortir de la chambre et de trouver un téléphone. Nos poches de pyjamas contenaient des pièces de monnaie, et nous allions tenter, chacun de notre côté, de joindre quelqu'un. Il fallait prévenir nos proches. Le second objectif n'était pas très clair. Le plus important était de téléphoner. Pour la suite, nous aviserions en temps et lieu...

— Allons-y, la voie est libre, dit Bertrand, d'une voix encore éteinte.

— Doucement, on se calme, répondit Sylvain. Réfléchissons d'abord à l'endroit où nous avons le plus de chances de trouver une cabine téléphonique. Si possible, un endroit pas trop passant.

— Je sais ! ai-je dit, pleine d'assurance. Au rez-de-chaussée, non loin de l'ascenseur, près des toilettes, il y a un téléphone. Je peux vous y conduire, si vous voulez.

— Je ne suis pas certain que ce soit une bonne idée d'aller au rez-de-chaussée. C'est sûrement là où il y a le plus de monde. Nous mettrions rapidement fin à notre escapade, et…

— Bon, arrêtez de discuter pour rien, coupa Bertrand, impatient. On y va et on verra bien.

Nous sommes finalement partis, avec la bénédiction de Huguette qui aurait quand même préféré nous garder près d'elle. Nous avons pris un temps fou avant de nous décider. Bertrand avait raison. Comme Sylvain évalue toujours toutes les possibilités, nous aurions pu discuter pendant une éternité. Quelques heures auparavant, pourtant, il n'avait pas réfléchi autant. « Ça doit dépendre des circonstances », me suis-je dit, sans me creuser davantage les méninges. Comme Bertrand, j'avais des fourmis dans les jambes et je mourais d'envie de sortir. Cette fois, je me sentais vraiment d'attaque, escortée par deux garçons costauds.

Sans nous concerter, une fois hors de la chambre, nous nous sommes dirigés vers les enseignes lumineuses indiquant la sortie et la direction de l'ascenseur. Nous avancions prudemment en regardant à droite et à gauche. Il n'y avait aucun éclairage dans le couloir. Seules les lumières rouges indiquant les sorties nous guidaient. Cette semi-obscurité, ce silence et l'absence totale de mouvement dans les couloirs de l'hôpital avaient quelque chose d'insolite. C'était comme si une catastrophe planétaire avait fait disparaître tout le monde ! Nous étions les seuls survivants... Sylvain et moi allions perpétuer la race humaine... Dans les siècles à venir, on ne parlerait plus d'Adam et Ève, mais de Sylvain et Déborah... Je me demandais ce que Bertrand ferait tout seul...

L'arrivée devant l'ascenseur m'a ramenée à la réalité. Il y avait deux ascenseurs. Sylvain pointait son index vers une petite enseigne accrochée au-dessus d'une porte. Rien n'y était écrit. Seul un trait en zigzag y était dessiné. Sylvain désignait la cage d'escalier. Nous avons compris que l'escalier lui semblait moins risqué que l'ascenseur. Nous avons donc ouvert la porte pour nous retrouver dans un lieu à peine plus éclairé. Les murs étaient en béton gris. Seules les marches d'escalier étaient peintes en blanc. Elles étaient sales et usées par les milliers de semelles qui les avaient montées et descendues tant et tant de fois. Pas très pratiques les escaliers quand on a une jambe dans le plâtre ! Sylvain avait besoin de notre aide (surtout celle de Bertrand) pour descendre. Il nous a fallu pas mal de temps, mais nous y sommes finalement arrivés. Au moment de pousser la porte pour accéder au hall du rez-de-chaussée, un bruit indéfinissable nous a figés sur place.

– Je vous avais bien dit que c'était une bêtise de venir ici !

Voilà que Sylvain recommençait ! Il chuchotait, mais ses yeux lançaient des éclairs. Il m'exaspérait. Il n'avait qu'à nous dire où trouver une cabine téléphonique, puisqu'il était si malin. Moi, je savais qu'il y en avait une derrière cette porte. Ce n'est quand même pas ma faute si c'est là que le risque d'être surpris est le plus grand !

– Continuons à descendre, suggéra Bertrand. Ça m'étonnerait qu'on croise quelqu'un au sous-sol. Il n'y a sûrement pas de chambres de malades dans le sous-sol d'un hôpital, mais il peut y avoir un téléphone pour les urgences.

– Ça c'est une bonne idée, lui répondit Sylvain.

« Bien sûr, lui, il a de bonnes idées », ai-je pensé. J'avais vraiment l'impression d'être de trop. Pourtant, Sylvain a eu besoin de mon aide pour descendre un étage supplémentaire !...

Après avoir pris soin de tendre l'oreille, nous avons ouvert la porte doucement. Nos yeux devaient s'habituer à l'obscurité. Il faisait encore plus sombre qu'à l'étage. Une faible lueur nous éclairait. Je n'étais pas rassurée du tout. Je n'aime pas me promener dans le noir. Au moins, nous étions sûrs de ne rencontrer personne. Qui s'amuserait à se promener dans des lieux aussi peu accueillants, à part nous ? Un fantôme, un esprit, un mort-vivant, peut-être... Je tremblais de froid ou... de peur, je ne sais pas.

– Si on retournait dans la chambre ? Je n'aime pas cet endroit.

– Pas question ! Nous devons trouver un téléphone, me répondit Sylvain.

– Il fait froid, ici.

Aussitôt, Sylvain a retiré sa veste de pyjama et l'a mise sur mes épaules. Il a poussé un petit cri en l'enlevant. Sa clavicule lui faisait encore mal. Maintenant qu'il était torse nu, un grand sparadrap, collé en travers, apparaissait sur la moitié de son buste. Il tentait de me rassurer.

– Tu sais, les fantômes n'existent pas. (Comment savait-il que j'avais pensé à ça ?) Nous sommes là, Bertrand et moi. Rien ne peut t'arriver. Donne-moi la main, je vais te guider.

J'ai pris sa main gauche et il a poussé encore un cri.

– AÏE… Non ! Pas de ce côté !

Suis-je bête ! J'avais oublié qu'il était blessé…

– Oh ! Excuse-moi, Sylvain… Je ne t'ai pas fait trop mal, au moins…

Je l'ai contourné pour mettre mon autre main glacée dans la sienne, et nous avons continué à marcher. Au bout de quelques pas, je n'avais plus froid du tout : la veste de pyjama ou la main de Sylvain ? Sa main, c'est certain ! Je la garde dans la mienne. Et qu'il ne s'imagine pas que je la lui rendrai un jour…

Bertrand avançait devant nous. Le couloir, qui tournait et se divisait, donnait sur plusieurs pièces à droite et à gauche. Parfois, la porte était ouverte et on distinguait plus ou moins des genres de bureaux avec des dossiers sur des étagères. Bertrand furetait d'une pièce à l'autre en essayant de découvrir quelque chose. Comme nous n'osions pas chercher un interrupteur pour allumer la lumière, il était très difficile d'y voir clair. Je restais silencieuse, me contentant d'ajuster mon pas au pas claudicant de Sylvain. Au bout d'un moment, Sylvain chuchota :

— On ne va pas marcher comme ça pendant des heures ! Je parie qu'il y a un téléphone dans certaines de ces salles. Rentrons dans l'une d'elles, fermons la porte et nous pourrons allumer la lumière.

— Pourquoi pas ? répondit Bertrand. J'ai vu un bureau sur la gauche. Essayons de le retrouver. Il y a sûrement un téléphone.

Nous sommes entrés tous les trois dans la pièce repérée par Bertrand. Il ne semblait pas y avoir beaucoup de place. Bertrand a refermé la porte soigneusement. Il faisait affreusement noir. Il a cherché à tâtons pour trouver un interrupteur. La lumière s'est allumée et j'ai poussé un cri d'effroi. J'ai eu si peur que j'en ai lâché la main de Sylvain !

— … IIIHHHH ! Qu'est-ce que c'est ?

— N'aie pas peur ! C'est un faux, dit Sylvain.

J'ai cru m'évanouir. Mon cœur battait à une vitesse folle. Un homme d'au moins un mètre quatre-vingt-dix, nu et écorché vif, dont on voyait toutes les veines et tous les vaisseaux rouges et bleus, nous faisait face dans la pièce. À côté de lui, un squelette de la même taille nous regardait (même s'il lui manquait ses yeux…). Il était encore plus effroyable que l'autre.

– Ce ne sont pas des vrais, dit Sylvain. Ce sont des mannequins. C'est pour étudier le corps humain, apprendre l'anatomie.

Bertrand non plus n'en menait pas large. Seuls Sylvain et les mannequins arrivaient à garder leur sang-froid. Le sang de l'écorché était plutôt coloré que froid, d'ailleurs… Et l'autre n'en avait plus, mais enfin… J'ai mis au moins cinq minutes pour me calmer et retrouver une respiration normale.

– Bon ! Moi, j'aimerais rentrer, maintenant. Encore une frayeur comme celle-là et je me retrouve en cardiologie…

– Allons, Déborah. Ce n'est rien. Je comprends que tu aies eu peur. Mais c'est plutôt amusant, tu ne trouves pas ? Tomber dans une pièce avec deux faux cadavres !… Les vrais sont conservés dans des chambres froides. Ne crains rien, Déborah ! On ne risque pas d'en rencontrer un.

– J'espère bien ! Si j'en rencontrais un, c'est moi qu'il faudrait mettre dans le « frigo »…

Sylvain avait repris ma main en prononçant mon nom. Il la serrait dans la sienne. Du coup, j'ai tout oublié. Bertrand se taisait, mais je crois que c'est parce qu'il n'était pas encore remis de ses émotions. Il avait eu encore plus peur que moi ! Si c'est possible. Tout à coup, il s'est écrié :

– Regardez ! Il y a un téléphone. Génial ! On va pouvoir appeler.

Effectivement, un téléphone était posé sur le bureau, au fond de la pièce. Il était difficile de l'apercevoir avec toute la paperasse autour. Toute la pièce était encombrée : il y avait des milliers de dossiers empilés les uns sur les autres. C'était à se demander comment ces montagnes de paperasse, qui s'élevaient tout de travers du plancher jusqu'au plafond, parvenaient à tenir. Entre la table, ensevelie sous les papiers, les deux inquiétants mannequins et les dossiers qui garnissaient les murs, l'espace était rare pour nous contenir tous les trois. Nous nous sommes approchés précautionneusement du bureau, en essayant de ne rien renverser, pour accéder au téléphone.

– J'appelle ma mère, dis-je, tout excitée.

– OK, vas-y, approuvèrent les deux autres.

J'ai décroché le combiné et j'ai attendu la tonalité. J'ai composé le numéro de la maison et j'ai attendu. Rien ne se passait. Toujours la même sonnerie. C'était comme si je n'avais rien fait du tout. J'ai réessayé une fois, deux fois, trois fois… toujours rien !

– Ça ne marche pas !

– Attends, dit Sylvain. Il doit y avoir un code pour téléphoner à l'extérieur. Essaie de composer le 9 avant ton numéro.

Sylvain avait encore raison. Comment savait-il cela ? J'ai composé le 9, puis mon numéro. Au bout de quatre sonneries, j'ai entendu : « Allô ! »

– Léa ! Salut, c'est Déb. Passe-moi maman, s'il te plaît. C'est urgent !

– Qu'est-ce qui est urgent ? Maman n'est pas là. Papa non plus. Il revient la semaine prochaine. Je suis toute seule, ici. Maman a dit qu'elle rentrerait très tard. Elle a un travail à terminer avec son patron. Qu'est-ce qui t'arrive encore ? Tu es retombée malade ? … Tu te rends compte de l'heure qu'il est ? Tu aurais pu réveiller tout le monde !

– Peut-être, mais je n'ai réveillé personne. Ne t'énerve pas ! Je ne suis pas malade, c'est l'hôpital qui l'est. Le personnel est devenu fou. Les médecins ne savent plus quelles maladies on a. Toutes les fiches informatiques sont mélangées. C'est très grave, ce qui se passe ici. En plus, ils ne veulent pas que ça se sache. Mais nous, on n'est pas d'accord avec ça.

– Je ne comprends pas la moitié de ce que tu dis. Tu t'exprimes toujours aussi mal. C'est incroyable ! Qu'est-ce que tu veux dire par « l'hôpital est malade » ?

– Les médecins, les infirmières, tout le monde…, enfin… Ils ne sont pas vraiment malades. C'est une façon de parler. Ils n'arrivent plus à savoir quelles maladies on a. C'est la même chose pour tous les malades. Du moins, on le suppose. Il y a un désordre monstre. Et ils veulent que ça reste secret. Tu comprends maintenant ?

– C'est pas vrai ! ! ! C'est complètement dingue ! Ils ne savent plus les noms des maladies… ? !

– Quand maman rentrera, explique-lui bien ce que je t'ai dit, s'il te plaît. Elle ne pourra peut-être pas me joindre au téléphone. Les lignes sont bloquées dans les chambres pour éviter les fuites.

– OK, tu peux compter sur moi. Je vais lui raconter ce que j'ai compris… Mais d'où me téléphones-tu ?

– Je n'ai pas le temps de t'expliquer, mais ne t'inquiète pas, je suis à l'hôpital. Allez, je te laisse. Bye ! À bientôt.

– Bye !

J'ai raccroché. J'étais déçue de n'avoir pas pu parler à maman. Au moins, j'avais prévenu Léa. J'espérais qu'elle saurait expliquer la situation à maman pour la rassurer. J'avais peur qu'elle pense que ma maladie s'était aggravée !

Sylvain et Bertrand ont téléphoné à leur tour, je ne sais pas trop à qui. Je n'ai pas fait attention. J'étais trop intriguée par les deux monstres que j'examinais attentivement. Je leur tournais autour. Je les touchais partout pour voir de quoi ils étaient faits. Je voulais savoir s'ils remuaient. J'avais même envie de les soupeser. Je n'aurais pas aimé les avoir chez moi. Certaines illustrations sur ma planche de jeu leur ressemblent un peu, mais c'est loin d'être aussi impressionnant !

Malheureusement pour moi, il n'y avait pas d'ordinateur dans le bureau. Il n'y avait même pas de place où le poser… Un désordre pire que celui de ma chambre ! Bertrand avait laissé un message sur le répondeur de ses parents qui dormaient probablement déjà. Quant à Sylvain, je ne savais pas exactement à qui il avait téléphoné. Il est resté vague et je n'ai pas insisté.

Nous ne savions plus que faire. Il était très tard et nous avions sommeil. Quand on se fait réveiller à 6 heures du matin, par une chipie en plus, la journée est longue. Bertrand était le plus abattu de nous trois ; conséquence de son opération, sans doute. Nous n'avions pas fini d'explorer le sous-sol, mais il valait mieux revenir le lendemain soir, plus tôt si possible !

Il était difficile de trouver le chemin du retour dans cet immense labyrinthe. Nous avions tourné en rond sans nous en apercevoir. Les rares indications étaient trompeuses. La plupart du temps, elles désignaient des issues de secours ou des cages d'escaliers, mais jamais celle que nous cherchions. Quand nous butions sur une impasse, nous revenions sur nos pas et nous tentions de nous souvenir par où nous étions passés. Mais tout se ressemblait ! Nous avons marché encore longtemps sans parvenir à nous repérer. Il devait être 2 heures du matin et je dormais debout. Allions-nous enfin retrouver notre chambre, ou serions-nous obligés de dormir dans une petite pièce, sur le sol glacé et sans couverture pour nous réchauffer ? Enfin, au moment où, découragés, nous pensions vraiment être perdus, Sylvain a distingué un ascenseur dans l'obscurité. Quelle chance ! Je m'imaginais mal monter deux étages en soutenant Sylvain dans les escaliers. J'étais trop épuisée !

Bertrand a appuyé sur le bouton. L'ascenseur datait sûrement d'avant la guerre. Je ne sais pas quelle guerre, mais il paraissait si vieux qu'on n'avait pas de peine à croire qu'il remontait à une époque antérieure à l'invention de l'électricité. Non, ça ce n'était pas possible… Enfin, ce qui est sûr, c'est que je n'étais pas rassurée en pénétrant dans cette grosse boîte de métal délabrée, qui sentait la nourriture avariée, et qui devait servir au transport de marchandises ou de je ne sais quoi. Il a fallu du temps avant que les portes coulissantes et grinçantes se ferment, et que l'ascenseur se décide à s'élever lentement vers le premier étage.

Arrivés en haut, nous ne reconnaissions plus les lieux. Quel choc ! Sans doute avions-nous abouti dans une autre aile de l'hôpital. Où étions-nous ? Nous n'en avions pas la moindre idée. Impossible de décrire ce qu'il y avait là. Toutes les portes étaient fermées et il ne nous restait plus d'autre choix que de longer le corridor. Soudain, nous avons vu une ombre à quelques mètres devant nous.

– Attention ! il y a quelqu'un, chuchota Bertrand.

En nous collant contre le mur, dans l'obscurité, nous étions certainement invisibles et nous pouvions observer la silhouette. C'est alors que j'ai reconnu le vilain personnage.

– C'est le bonhomme de l'autre nuit ! C'est lui !

– Tu es sûre ? demanda Sylvain.

Je me suis mise à douter.

– Je crois que oui, mais il fait trop noir pour être sûre. Je ne vois pas assez bien…

– Attendons un moment, il semble s'approcher.

– Oui, bien, justement. Je n'ai pas envie de le voir de trop près !

– Je te comprends, dit Bertrand. Et il se mit à courir dans la direction opposée.

Son démarrage en trombe alerta le bonhomme qui stoppa net et observa. Un vague rayon de lumière rouge frappa son front et me permit de le reconnaître, avant de décamper, moi aussi. C'était lui. Là, ça ne faisait plus aucun doute. Mais que faisait encore cet homme, en pleine nuit, dans l'hôpital ? Ce n'est pas une heure pour faire une promenade dans le couloir. C'est quand même incroyable ! Que Sylvain ne me dise pas encore que c'est un médecin ou un promeneur innocent ! Il l'a vu comme moi.

Le plus embarrassé pour courir, c'était Sylvain, bien sûr. Le pauvre ! Ni Bertrand ni moi ne l'avions attendu. Ça faisait beaucoup d'émotions en une seule soirée. Je n'avais aucune envie d'être repérée par l'homme qui m'avait déjà bousculée la veille. Une fois à l'abri derrière un renforcement du mur, Bertrand et moi avons attendu Sylvain. Il se débrouillait assez bien. Il n'a pas mis trop de temps pour nous rattraper.

Qu'était devenu le bonhomme ? Je n'en avais pas la moindre idée, mais j'étais contente qu'il ait disparu. Je n'avais plus qu'une idée en tête : retrouver la chambre 131 et Huguette. J'ignore encore comment, mais soudainement, et alors que nous ne l'espérions plus, la porte de la chambre 131 s'est trouvée devant nous. Un vrai miracle ! Nous nous sommes glissés chacun dans notre lit sans demander notre reste. Avant de m'endormir, j'ai gardé les yeux ouverts pendant quelques minutes et j'ai pensé à cette incroyable aventure…

Chapitre 6

Le scandale étouffé

— *Non, pitié, laissez-moi, je vous en prie. Pitié… Pitié… Arrêtez ! Vous me faites mal !… Je suis innocente… Je n'ai rien fait !*

— *Tu n'as rien fait ? En es-tu sûre ? En es-tu sûre et certaine ?*

— *Oui ! Je vous le jure. Je n'ai touché à rien. Ne me faites plus souffrir ! J'ai juste téléphoné. Laissez-moi !*

— *Tu as osé téléphoner ? Téléphoner ? TÉ-LÉ-PHO-NER ! ! !*

Pendant que cette voix assourdissante hurlait à m'arracher les oreilles, moi-même je rugissais d'effroi et de douleur. Ligotée fermement sur la table d'opération, j'étais incapable de remuer un seul de mes doigts engourdis. Des tas de gens, que je ne connaissais pas, m'entouraient et me dévisageaient de leurs regards féroces. La plupart d'entre eux étaient vêtus de la combinaison verte des infirmiers. Certains semblaient porter leurs pyjamas ou leurs chemises de nuit. L'atmosphère était floue. Pourtant, je percevais nettement mon pauvre ventre affreusement béant. Du nombril jusqu'au-dessus de la poitrine, une cavité profonde, écarlate et visqueuse s'agitait au rythme des palpitations. Muni d'un énorme scalpel et d'une pince géante, le médecin fouillait à l'intérieur de la plaie ouverte et en retirait continuellement des morceaux de chair rouge. Je distinguais parfaitement le médecin qui découpait la peau et les muscles avec des ciseaux pour agrandir l'ouverture de l'entaille. Avec de larges mouvements des bras, il arrachait des lambeaux de mon corps et les jetait dans une poubelle, posée à terre. Je surveillais chacun de ses gestes. Un vrai massacre ! Mais que me voulait-il ? J'étais terrorisée. Je ne me reconnaissais plus ! Mon visage était devenu monstrueux. Mes yeux étaient rougis par les larmes et terriblement dilatés. Un rictus atroce, causé par la souffrance, me défigurait.

Je ne cessais pas de pleurer et d'implorer les gens autour de moi. Je leur demandais de m'aider à interrompre ce supplice. Mais ils restaient impassibles. Je devais pourtant les alerter. Une immense marre de sang se formait sur le plancher du bloc opératoire. Des flots de liquide rouge s'échappaient de ma plaie ! Une réelle inondation. Et le médecin continuait sa tâche, tranquillement, sans se soucier de moi. Je reconnaissais le docteur Opinel. C'est lui qui m'opérait. Malgré le masque qui lui couvrait le nez, je distinguais ses traits terriblement vieillis, avec des rides profondes sur son front. Ses cheveux étaient devenus tout blancs et il criait comme une vieille femme. Il avait retiré sa blouse blanche, et il portait un costume de ville. Puis, j'ai aperçu maman et Léa, revêtues de la même tenue verte que portaient les autres. Elles assistaient à mon opération.

– *Maman, s'il te plaît. Sauve-moi ! Dis-leur d'arrêter. Je t'en supplie. Je veux m'en aller. Ils me font trop mal. Assez ! ! !*

– *Ce n'est pas encore fini, mon enfant ! Il faut laisser le médecin opérer.*

– *Ça t'apprendra à être méchante avec ta sœur. Même maman veut que tu souffres !* ajoutait Léa en ricanant.

Je ne savais plus quoi faire. J'étais désemparée, désespérée, exaspérée. J'appelais à l'aide. C'était maintenant le vieux monsieur de la nuit qui arrachait les morceaux de mon abdomen. Il en retirait de véritables tranches de viande, comme celles que maman achète en paquets, au comptoir de la boucherie du supermarché. Je le suppliais d'arrêter. Je pleurais. Je voyais aussi des feuilles d'imprimante sanguinolentes qui sortaient de mon corps et s'accumulaient sur le sol…

– *Assez ! ! ! Pitié, pitié. Arrêtez, s'il vous plaît. Cessez de me faire du mal… Je vous en prie…*

Je ne parvenais qu'à agiter la tête dans tous les sens et mes larmes giclaient partout, comme d'immenses jets d'eau…

Soudain, j'entendis une voix douce et apaisante qui prononçait mon nom…

« Eh bien, gentille Déborah ! Qu'est-ce qui t'arrive, ma puce ? Tu as fait un mauvais rêve, je crois. »

Les mots de Huguette m'ont tirée de ce terrible cauchemar. J'étais encore très agitée. Je sentais mon front plissé et mes yeux remplis de larmes. Mon lit était trempé de sueur, et mes cheveux étaient collés sur mon front moite. Sylvain me regardait, lui aussi, avec ses beaux yeux doux. Il était touchant… ! Je n'ai jamais vu un garçon aussi mignon. J'avais crié, m'expliqua-t-il. C'est pourquoi il s'était levé. Il se demandait ce qui m'arrivait.

Tout en reprenant mes esprits, je leur racontais mon horrible cauchemar. « C'était épouvantable ! Et quand je pense que Léa avait eu le culot de ricaner en me voyant pleurer. »

« Ce n'était que dans ton rêve, me dit Huguette. Ta sœur n'est pas comme cela, dans la réalité. »

« C'est ce qu'elle croit, ai-je pensé au fond de moi. On voit bien qu'elle ne la connaît pas… »

Pendant tout ce temps, Bertrand dormait tranquillement. Même mes cris ne l'ont pas tiré du sommeil. Pourtant, il était déjà 7 heures. Curieusement, aucune infirmière n'était encore venue nous visiter. Pour une fois, j'aurais pu dormir au moins une heure de plus, si je n'avais pas fait cet affreux cauchemar. Je ne me souviens pas souvent de mes rêves mais, celui-là, je n'étais pas près de l'oublier…

C'était déjà samedi. Je n'avais pas vu le temps passer. Pourtant, en calculant mentalement, ça faisait bien quatre jours que je croupissais ici. Je ne me sentais plus malade du tout, mais avec tout le désordre dans cet hôpital, j'avais la nette impression qu'on ne me laisserait pas sortir.

Je repensais à notre aventure de la nuit et je regrettais de n'avoir pas insisté pour trouver un ordinateur. Dans les charmants bureaux du sous-sol, il devait bien y en avoir un. Je ne me souviens pas d'avoir été séparée de mon ordinateur aussi longtemps. Il me manque terriblement.

– Les fins de semaine, l'hôpital marche un peu au ralenti, dit Huguette, qui avait une grande expérience de ce genre d'établissement.

– Veux-tu dire qu'on ne mangera pas ? ai-je demandé, un peu inquiète.

– Non !, rassure-toi, répondit Huguette, quelqu'un nous apportera notre petit-déjeuner. Les repas, c'est sacré. Toutefois, le samedi et le dimanche, il n'y pas de visite médicale le matin.

– Tant mieux ! Je ne tiens pas à assister à la colère de Charlemagne encore une fois.

– Moi, je voudrais bien parler à une personne responsable de l'hôpital, lança Sylvain, d'un ton décidé. Nous devons raconter ce que nous avons découvert hier.

– Hier ? Qu'avons-nous donc découvert, hier ? Je ne me souviens pas... dis-je, étonnée.

– Eh bien ! L'homme... tu sais bien. Cet homme qui errait dans le couloir du premier étage… Il faut signaler sa présence. Il est proba-blement dans le coup du sabotage.

J'étais abasourdie. Sabotage ! Comment ça, sabotage ? Est-ce que j'avais bien entendu ? La veille, quand j'avais osé prononcer le mot « piratage », Sylvain s'était indigné !… Mainte-nant, il a le culot de parler de « sabotage »… J'aimerais bien qu'il m'explique quelle distinction il fait entre les deux… C'est sans doute son orgueil de mâle. Les garçons veulent toujours avoir le dernier mot. Quand donc comprendront-ils que les filles ne sont pas de frêles créatures sans cervelle… Je ne vais quand même pas lui faire honte en public…

Bertrand s'est réveillé juste à ce moment, ce qui tombait plutôt bien…

« Aaahhh ! J'ai vraiment bien dormi, dit-il en ouvrant les yeux et en se redressant dans son lit. »

Il semblait tout heureux. Il avait dû faire de beaux rêves, lui. Il nous a gratifiés d'un large sourire satisfait.

– Comment ça va, vous autres ?… Êtes-vous réveillés depuis longtemps ?

– Plus ou moins, répondit Sylvain. L'infir-mière n'est pas passée ce matin. Ça nous a permis de nous réveiller sans entendre sa voix stridente : « Allez les enfants ! »… « C'est comme ci, c'est comme ça ! »…

Sylvain a vraiment des dons d'imitateur. Il reproduisait fidèlement la voix de notre « belle et douce » Geneviève. Nous l'entendions comme si elle était là. Totalement désopilant !

Sylvain et moi avions la même perception de « Mademoiselle » Épicure. Nous étions d'accord au moins sur un point…

La journée commençait à peine et elle promettait d'être longue, voire interminable. Qu'allions-nous faire pour tuer le temps ? Dehors, le ciel était gris et nuageux, plutôt triste, en somme. Il allait peut-être neiger. Mais quelle différence cela faisait-il pour nous ? De toute façon, nous étions enfermés. Je n'avais même pas faim. Ça tombait plutôt bien, car personne ne semblait décidé à s'occuper de nous. Cette chambre lugubre, ces murs blancs, cet éclairage minable et ces lits métalliques commençaient sérieusement à me taper sur les nerfs. Pas même une télévision ou un ordinateur. Juste la minuscule radio de Sylvain qui s'obstinait à se taire sur nos problèmes à l'hôpital. Nous nous apprêtions à nous ennuyer royalement, en attendant le soir. Notre seule perspective était de retourner patrouiller dans les couloirs de cet immense bâtiment. Toutefois, l'idée d'explorer le sous-sol en plein jour me paraissait risquée. C'était tout de même mieux que de rester prisonniers dans cette chambre.

Tandis que je réfléchissais, la porte s'ouvrit. J'ai cru que j'allais voir apparaître mon petit-déjeuner ou le visage desséché de l'infirmière. Non ! La visite était des plus inattendues. Jamais je n'aurais imaginé une chose pareille. L'espace d'un instant, j'ai cru que le cauchemar recommençait. Léa en personne ! Ma sœur !

– Qu'est-ce que tu fais ici, Léa ? Il est à peine 8 heures du matin ! Tu es tombée sur la tête ou quoi ? J'ai beau me pincer, je n'y crois pas…

– Salut les copains ! lança-t-elle, sans même me regarder. Je vous ai apporté des beignets. Et puis, j'ai une autre surprise…

– Oh ! là là… je crains le pire. Si tu as acheté des beignets, c'est que tu as quelque chose à te faire pardonner.

– Arrête, Déborah… Est-ce que ce n'est pas gentil de ma part d'avoir pris des beignets pour vous ? Regarde ! Ce sont ceux que tu aimes.

Effectivement, un grand sac en papier kraft renfermait mes beignets préférés. Quand maman nous en apporte un assortiment à la maison, c'est en général ceux-là que Léa rafle en premier parce qu'elle sait que je les adore… J'étais éberluée. Elle m'avait même apporté mon vieil ours en peluche. Je me questionnais sur ses réelles intentions.

« J'ai quelqu'un à vous présenter, dit Léa, après avoir distribué les beignets. »

Elle ajouta juste pour moi :

« Pas un mot à maman, Déborah ! Je te préviens. Sinon, tu auras affaire à moi… »

La porte restée entrouverte s'ouvrit alors toute grande, comme si Léa avait donné le signal. La mise en scène était bien minutée. Excellent spectacle, bravo ! Et qui donc fit son entrée dans la chambre ? Non, pas Nathalie, la copine de cégep de Léa… Non…! C'était… Nathan, le fameux copain dont j'avais deviné l'existence. J'ai bien vu que Léa en était follement amoureuse rien qu'à sa façon de le regarder : elle lui faisait les yeux doux en inclinant un peu la tête et en ouvrant bêtement la bouche… J'ai honte quand je l'observe. Non ! Pitié ! Léa ne peut pas être ma sœur… Comment deux mêmes parents peuvent-ils engendrer deux enfants si différents ? L'une petite, l'autre grande ; l'une fine comme une mouche, l'autre débile… Il a dû y avoir une erreur à la pouponnière quand elle est née. Quelqu'un s'est trompé de nourrisson. On a remis Léa à mes parents, mais ce n'était pas leur fille. Cela arrive parfois. Avec ce qui se passe dans cet hôpital, je suis bien placée pour le savoir…

« Salut à tous ! Je m'appelle Nathan. Tu es Déborah, je parie… lança le garçon avec entrain et bonne humeur. »

Grand, mignon, souriant… Sympathique, le Nathan, finalement : il ne va pas du tout avec ma sœur… Après avoir décliné son nom et m'avoir saluée de loin, il passa près de chacun de nos lits pour nous embrasser Huguette et moi, et serrer la main des deux autres garçons. Ensuite, il nous expliqua pourquoi il était là.

– Voilà. Je suis des cours de journalisme à l'université. Je suis en première année. Léa m'a dit qu'il se passe des choses bizarres ici. Pouvez-vous m'expliquer un peu ? Ça m'intéresse beaucoup. Si c'est digne d'intérêt, et si vous êtes d'accord, je rédigerai un petit article. Peut-être que je réussirai à le faire publier dans un quotidien de Montréal. Ça attirerait l'attention sur vous et j'aurais des chances d'obtenir une très bonne note...

— Oui, ajouta Léa à l'intention de tout le monde. C'est le coup de fil de Déborah, cette nuit, qui nous a alertés. Au fait, Déborah... là, elle s'adressait à moi (ce qui s'entend, d'ailleurs), j'ai prévenu maman de ton appel, et je lui ai dit que je passais te voir ce matin. Son patron ne la laisse pas respirer, tu sais. Il va la faire travailler non seulement aujourd'hui mais aussi demain, dimanche !... En tout cas, elle te fait de gros bisous et elle est bien contente que tu sois tout à fait rétablie. Elle va passer ce soir, enfin... si elle peut !

— Comment ça, si elle peut ?

— Oh ! Je ne veux pas dire qu'elle n'essaiera pas. Seulement, c'est presque impossible de franchir la barrière de l'hôpital, aujourd'hui. Il y a une armée d'infirmières et d'infirmiers chargés de refouler toute personne désireuse de visiter un malade. Les ambulances sont dirigées vers d'autres hôpitaux. L'établissement est devenu une véritable forteresse, totalement impénétrable ! C'est à croire qu'il y a un terrible secret à cacher... D'ailleurs, la police patrouille dans les parages.

— Mais alors, comment avez-vous fait pour venir jusqu'ici ? demanda Sylvain, très impressionné par cet exploit.

– Nous avons eu de la chance. Nous avons profité de l'inattention de l'infirmière pour nous faufiler derrière son dos. Il y avait tellement de grabuge, à un moment donné ! Tout le monde rouspétait. C'était vraiment fou. Un chambardement incroyable !

Nous devions conclure que l'affaire était sérieuse. La confusion des fiches nous avait amusés, mais les événements prenaient une tournure plus tragique.

Sylvain et Nathan se sont tout de suite bien entendus. Ils parlaient de journalisme, de littérature et de sports d'hiver. Puis, nous avons discuté de la situation. Pour les pensionnaires de notre chambre, ce n'était pas trop compliqué. Nous n'avions qu'à attendre qu'on nous permette de sortir de l'hôpital. Mais pour d'autres patients, les conséquences risquaient d'être dramatiques si le problème n'était pas résolu rapidement.

– Vous imaginez un peu ? Un diabétique dont la fiche indique qu'il a été opéré des amygdales, et à qui on donne de la crème glacée sucrée… dit Bertrand qui se sentait particulièrement concerné, et pour cause…

– Ou alors quelqu'un qui souffre d'un panaris à un orteil, et à qui on prescrit des antidépresseurs… Au moins, ça lui remontera le moral…

– Ou encore une personne qui s'est cassé la jambe, mais à qui on plâtre les deux bras…

– Ou comme mamie Gâteau, une vieille dame qui souffrirait d'une cataracte et qu'on traiterait pour une otite…

Ces élucubrations nous amusaient beaucoup. Sans nous en rendre compte, nous avions inventé un jeu auquel nous avons joué avec jubilation pendant un bon moment. Cela nous permettrait non seulement de nous distraire, mais aussi de passer le temps…

– Ou encore un anorexique qu'on soigne pour obésité… Ou le contraire : un obèse qu'on force à manger, comme s'il souffrait d'anorexie !

– Ou alors… Un bonhomme qui serait rentré pour une tumeur au cerveau et à qui on amputerait le pied. Ou même la jambe entière !

Si l'on arrêtait ? À bien y réfléchir, le jeu n'était pas drôle du tout ! Surtout quand Bertrand imaginait des bêtises plus grosses que lui. Huguette nous avait fait frissonner en imaginant une femme entrée à l'hôpital pour une chirurgie esthétique, et à qui on aurait greffé un rein. Faut quand même pas exagérer ! Pourquoi pas un grand brûlé qu'on traiterait pour l'eczéma, pendant qu'on y est ?

Nathan, en parfait reporter professionnel, avait sorti un carnet et un stylo de son sac à dos, et prenait des notes. Il voulait savoir depuis quand nous étions là, le numéro de notre chambre, nos problèmes respectifs. Il posait une foule de questions sérieuses. Rien à voir avec notre petit jeu insignifiant ! Il passait son temps à aller et venir entre la chambre et le couloir, et il prenait note de ses observations. Ce petit manège nous intriguait. Qu'allait-il faire dans le couloir ? Il n'avait pas peur d'être repéré ?…

– Est-ce parce qu'il n'y a personne dans le couloir que tu peux entrer et sortir ainsi ? lui demanda Sylvain.

– Oui, j'ai visité la chambre d'à côté pour recueillir quelques renseignements. Mais le couloir est désert, en effet. Pourquoi cette question ? Ce n'est pas normal ?

– Normal ? Ah ! non… Certainement pas ! Encore aujourd'hui, il n'y a personne ?

Alors que nous faisions part de notre étonnement à Nathan, quelqu'un frappa à la porte. Notre « journaliste » l'avait bien refermée derrière lui, heureusement !

« Attention ! Cachons-nous ! » dit Nathan à Léa.

En un instant, ils se glissèrent tous les deux sous un lit : Léa sous le mien, Nathan sous celui de Sylvain. Après nous être assurés qu'ils étaient bien cachés, nous avons dit en chœur : « Entrez ! » Deux cuisiniers, que nous ne connaissions pas, se sont avancés avec notre repas. Ils étaient sûrement nouveaux, car, en général, personne ne frappe à notre porte avant d'entrer. C'est une chance qu'ils aient eu cette délicatesse. Autrement, Léa et Nathan étaient pris comme des rats. Je suppose que les deux hommes n'auraient pas hésité à les chasser de l'hôpital, vu les consignes.

Les bons beignets de Léa nous avaient rassasiés et nous n'avions plus faim. Nous avons attendu en silence que les deux hommes sortent. Seul Bertrand était nerveux. Le pauvre ne tenait plus en place. Le repos au lit commençait à lui peser. Après le départ des deux importuns, il a pris la parole :

— Quand les cuisiniers auront fini de distribuer les petits-déjeuners dans chacune des chambres, ils retourneront à leurs fourneaux et il n'y aura plus personne pour nous gêner.

— Que veux-tu dire ? lui demanda Sylvain.

— Eh bien ! nous pourrions sortir… ! Nous n'allons quand même pas moisir ici toute la journée. J'ai besoin de me dégourdir les jambes. J'étouffe ici. Avant l'arrivée du prochain repas, nous avons le temps de visiter des chambres et des bureaux…

Puis, s'adressant à Nathan, il ajouta :

— Qui sont les malades sur notre étage ? Nous ne nous sommes jamais demandé qui était là. Tu le sais, toi ?

— Je suis entré dans la chambre 129, juste à côté. Elle ressemble à la vôtre. Il y a quatre malades. Ce sont des enfants… Il n'y a aucun adulte. Ils n'ont l'air au courant de rien.

— Il vaut mieux ne pas les prévenir. On risquerait de les affoler pour rien.

En disant cela, je me souvenais du visage décomposé de Huguette quand nous avions proposé de diffuser la nouvelle. Nous étions indécis. Nous ne savions pas trop quoi faire.

Nathan et Léa étaient assis sur les deux seules chaises disponibles dans la chambre. Le garçon écrivait et ma sœur attendait je ne sais pas quoi.

– Bon, alors, on bouge ? demanda Bertrand, impatient.

– D'accord, on bouge ! Moi, je te suis, lui répondit Sylvain.

« Enfin, une bonne idée », ai-je pensé. Au moment où j'allais me lever pour enfiler mes chaussons et m'apprêter à sortir, la porte s'ouvrait de nouveau.

Pour un matin sans visite, je trouvais que ça faisait pas mal de monde dans notre malheureuse petite chambre… Ce n'était pas comme la station de métro près du collège en pleine heure de pointe, quand tous les étudiants s'engouffrent au même moment, mais quand même !

J'étais la seule à avoir reconnu ceux qui venaient d'entrer. Que faisaient-ils ici ? C'est ce que je me demandais. Il s'agissait des deux étudiants sympathiques qui passaient leur temps à me faire des sourires et des clins d'œil pendant le numéro de Charlemagne ! Aujourd'hui, ils ne souriaient pas. C'était peut-être à cause de la blouse blanche qu'ils portaient et, surtout, du stéthoscope qui leur servait de collier. Ils ressemblaient maintenant à de vrais médecins. Et ça sourit peu, un médecin d'habitude…

Ils ont confirmé qu'ils étaient de vrais médecins. Enfin…, encore deux années d'étude et la réussite de leurs examens avant de porter le titre officiellement. Toutefois, ils étaient suffisamment qualifiés pour s'acquitter de la tâche qui leur avait été confiée : enquêter auprès des malades pour savoir pourquoi ils étaient là...

— Pourquoi nous sommes là ? Mais tout est noté sur les fiches de l'hôpital, dis-je de mon air le plus innocent, histoire de voir ce qu'ils allaient répondre.

— Euh ! Oui. Enfin, pas vraiment... commença le rouquin. Enfin, si... Ce n'est pas ce que je veux dire. Mais... Les fiches... euh...

— Écoutez : vous répondez à nos questions et tout se passera bien ! enchaîna son copain asiatique. Euh ! après tout... Et puis... il n'y a rien d'étrange à ce qu'on vous pose ces questions...

— Ne vous fatiguez pas ! Inutile de nous raconter vos sornettes ! Nous sommes au courant de tout, dans cette chambre, lâcha Sylvain. Nous savons que vos fiches informatiques ne sont plus fiables.

Je dois dire que la remarque de Sylvain a mis fin au supplice des deux malheureux. Les jeunes étudiants ou médecins, je ne sais plus, étaient très mal à l'aise. Des gouttes de sueur perlaient sur leur front. Dommage que Sylvain ait craché le morceau aussi vite ! Je riais en moi-même de les voir empêtrés dans leurs mensonges... Comment s'en seraient-ils sortis ? Sûrement mal ! Et je m'en réjouissais, car ils étaient soudainement devenus beaucoup moins sympathiques dans le rôle de médecins...

— Puisque vous savez tout... C'est vrai ! Il y a un problème. Mais gardez cela pour vous, s'il vous plaît. C'est un secret...

— L'ordinateur ne restitue pas les bons renseignements...

— C'est strictement confidentiel ! Nous comptons sur vous...

— Oui, parce qu'autrement, c'est nous qui aurions des ennuis !

— Et de gros...

Les deux étaient tellement troublés qu'ils parlaient sans s'apercevoir que deux personnes en trop les écoutaient dans la chambre.

— Nous ne sommes pas forcément d'accord avec la décision de la direction...

— C'est une question de réputation...

— L'hôpital ne doit pas perdre la confiance de sa clientèle.

— Bien sûr, le fait de dissimuler le problème peut être discutable d'un point de vue éthique...

— Mais...

Sylvain m'expliqua au passage qu'« éthique » est synonyme de « moral ». C'est simple, alors ! C'est le fait de choisir les bonnes actions plutôt que les mauvaises. Merci, Sylvain ! Sans s'interrompre, les deux malheureux poursuivaient leur boniment, tentant de justifier le silence de l'hôpital. Fatigué comme nous tous, Nathan coupa finalement la parole aux deux malheureux pour faire une déclaration qui les fit frissonner. Je crois bien qu'ils en tremblent encore, aujourd'hui...

« Salut, je m'appelle Nathan et je suis journaliste. Mon métier, c'est d'informer. Je pars du principe selon lequel les citoyens ont toujours le droit de savoir. Un incident peut se produire dans un hôpital. Cependant, je m'oppose à l'idée qu'on cache la vérité. Du moment qu'on explique les efforts de la direction pour résoudre le problème… Voilà ! Je rédigerai un article sur ce qui se passe dans cet hôpital. Il sera publié que cela vous plaise ou non ! »

Chapitre 7

Forteresse « imprenable » ?

Une fois n'est pas coutume : nous sommes venus en aide aux deux malheureux étudiants qui, pourtant, étaient là pour nous examiner. Les rôles étaient inversés. Les voyant chanceler et prêts à tourner de l'œil, nous leur avons prodigué les premiers soins. Notre chambre était devenue la salle d'urgence. Tout le monde sait que « toute personne doit porter secours à celui dont la vie est en péril »…

Les deux pauvres garçons étaient si bouleversés à l'idée de l'article rédigé par Nathan qu'ils s'étaient presque évanouis. Horreur ! Le directeur de l'hôpital, en personne, allait lire cet article ravageur dans le journal ! Le grand patron apprendrait qu'à eux deux, ils n'avaient pas réussi à nous convaincre de nous taire. Qui plus est, M. Sentépube croirait qu'en dépit des ordres reçus, ils avaient divulgué l'affaire. La vérité était autre. Mais qui s'en soucierait ? Malgré la consigne du silence, par notre faute, la nouvelle se répandrait partout : dans les journaux, à la radio, à la télévision, sur le Web… ! Des dizaines de journalistes se précipiteraient à l'hôpital pour interroger les témoins. Le pays serait en émoi. Le monde entier saurait que dans un établissement public canadien tenu pour respectable et digne de confiance, on avait étouffé un incident honteux ! Comment imaginer pareille ignominie ? La carrière des deux étudiants serait ruinée avant même de commencer. Aucune clinique médicale ne les accepterait au sein de son équipe. Leur réputation serait entachée à tout jamais. Il ne leur restait plus qu'à réorienter leur carrière. Adieu médecine ! Des vies gâchées. Ils seraient la honte de leur famille. Les amis fuiraient... Et quoi encore...

J'avais peine à croire que se tenaient devant moi les deux mêmes personnes qui avaient tant rigolé quand Charlemagne avait perdu les pédales. Maintenant que c'était leur tour d'être dans l'embarras, ils n'avaient plus du tout envie de rire. Nathan et Léa leur avaient cédé leur place avant qu'ils défaillent. Les deux malheureux s'étaient affalés sur les chaises pendant que Huguette leur offrait un verre d'eau et posait fraternellement sa main sur leurs épaules.

Ils étaient si mal en point que Sylvain, Bertrand et moi n'avons pas hésité à les réconforter. Nous leur disions que ce n'était pas grave, que tout irait bien, qu'ils n'étaient coupables de rien. Au contraire, ils seraient peut-être récompensés pour leur courage. Ça pourrait même aider à la progression de l'enquête, voire même à la résolution du problème. Des vies seraient sauvées. Ils deviendraient des héros... Quand même, n'exagérons rien ! Il est vrai que nous ne savions plus quoi leur raconter pour les voir sourire un peu. J'avais bien vu une émission sur Sigmund Freud à la télévision, mais ça ne faisait pas de moi une spécialiste. C'était le monde à l'envers. On ne savait plus qui étaient les malades et qui étaient les médecins...

— Allons, ça suffit maintenant. Ça va aller ! finit par dire Sylvain sur un ton ferme. Examinez-nous, auscultez-nous..., vous ne serez pas mis en cause. Faites votre boulot et tout ira bien !

— C'est vrai ! Après tout, si Nathan ne cite pas votre nom dans son article, vous n'aurez pas d'ennuis. N'est-ce pas Nathan ? fis-je, en me retournant. Tu peux faire ça pour eux ?

Nathan répondit :

— OK, ça ne me dérange pas. C'est vrai, au fond. Je peux arranger mon texte de sorte que vous n'ayez rien à voir avec l'affaire... Vous ne serez pas mis en cause.

Et c'est sur ces bonnes paroles que les deux inquiets se sont finalement décidés à nous examiner, à nous ausculter, à nous questionner et... à s'en aller. Leur malaise avait failli être communicatif. Quelle histoire pour rien du tout ! Leur manque de courage était tout de même étonnant. Comment auraient-ils réagi s'ils avaient dû subir une opération comme nous quatre ? Ils n'auraient sans doute pas survécu !

110

La visite suivante, car le défilé dans notre chambre ne s'est pas arrêté là, m'a laissée sans voix. Quand j'y repense, je sens ma gorge se serrer et j'éprouve un sentiment d'infinie tristesse. J'étais peinée, affligée, consternée ! J'ignore s'il est arrivé à quelqu'un dans sa vie d'éprouver autant de chagrin que moi à cette minute-là. Pas seulement du chagrin : de la rage, aussi. Je bouillais intérieurement. La visite en question se prénomme Marie-Chantal. C'est la petite amie officielle de Sylvain. Il n'en avait jamais parlé et voilà qu'elle surgissait devant nous, comme une apparition...

« Je vous présente Marie-Chantal, ma "blonde", dit Sylvain, le plus naturellement du monde... »

Très drôle... ! Pour être blonde, elle est blonde. Grande et fade, alors que les petites brunes ont du piquant, mince et sérieuse, alors que les petites grassouillettes sont drôles et charmantes, tout à fait antipathique, alors que les brunettes sont si sympathiques ! Le genre à se promener avec des talons hauts en pleine tempête de neige. Je lui ai tendu la main froidement avant qu'elle s'approche pour m'embrasser. Le ton était donné. Je ne serais pas sa copine.

– Déborah. Opération de l'appendicite.

– Salut ! Moi, c'est Marie-Chantal. J'ai eu du mal à entrer dans l'hôpital ! Heureusement que je connaissais le numéro de la chambre de Sylvain. Il n'y avait personne pour me renseigner. Et si je ne m'étais pas faufilée...

111

Oui, on sait. On connaît la chanson. Les infirmières, le monde qui rouspète, la cohue… Finalement, tout le monde passe sans problème ce barrage supposément infranchissable ! Elle est venue pourquoi, celle-là ? Elle n'aurait pas pu nous laisser tranquille. Elle n'avait rien de mieux à faire, un samedi de congé, que de se promener dans un hôpital ? Il n'a vraiment aucun goût, ce Sylvain… Elle semble plus vieille que lui. Le comble, c'est que je comprenais tout, maintenant. C'est à elle qu'il avait téléphoné la nuit précédente, alors que nous étions si bien, tous les deux, dans le noir !

J'étais complètement abattue. Tous mes projets s'effondraient. Ma tête se vidait : plus possible de raisonner. J'avais imaginé que, si Léa épousait Nathan, ce serait formidable que je me marie avec Sylvain. Évidemment, ce n'était pas sûr et archi-sûr. Mais ils étaient devenus tout de suite tellement copains, ces deux beaux garçons ! Si nous nous étions tous mariés, comme je l'imaginais, cela m'aurait sûrement rapprochée de ma sœur.

Heureusement, la blondasse Marie-Chantal nous a annoncé, d'une voix fluette, qu'elle avait mille choses à faire. Elle devait se sauver pour aller magasiner : acheter du maquillage, des bas, du vernis à ongles, du shampoing, de la crème de nuit… J'espère qu'il y aura un monde fou dans les boutiques, aujourd'hui. Comme ça, ses emplettes lui prendront tellement de temps qu'elle ne reviendra plus nous embêter.

Après une telle épreuve, tout m'était égal. J'étais secouée. La « blonde » de Sylvain avait cassé quelque chose en moi. Même si elle était partie, je n'avais plus le cœur à rire. Sylvain paraissait ennuyé, mais je refusais de le regarder. Il essayait de plaisanter, tentait d'aborder des sujets qui pouvaient m'intéresser. Pas question d'écouter. Je boudais, un point c'est tout. Les autres lui répondaient, mais je restais muette. Pourquoi m'avait-il tenue par la main s'il avait déjà une copine ? Et une idiote en plus ! Je suis beaucoup mieux qu'elle…

Léa remarqua ma tristesse et vint m'offrir les beignets qui restaient.

– Merci, c'est gentil. Prends-en un, toi !

– Non, non, je t'assure… Vas-y ! Je n'ai plus faim…

Même le beignet ne parvenait pas à me consoler.

– Bon ce n'est pas tout, les amis ! Maintenant que nous savons ce qui se passe ici, nous devons enquêter de notre côté. Allez, bougeons ! Je ne supporte plus de rester là, moi. On ne va pas attendre que quelqu'un d'autre arrive ! Bougeons avant que ce ne soit plus possible !

Bertrand sauvait la situation. Il me fallait quelqu'un de dynamique comme lui pour arrêter de broyer du noir. Après tout, Sylvain constaterait lui-même que j'étais mille fois plus intéressante, plus drôle, plus gentille, plus gaie, plus jolie et plus tout ce qu'on peut imaginer que l'autre Marie-Je-ne-sais-pas-quoi. Voilà une excellente occasion de vérifier si Sylvain a du goût.

– Sortir ? Mais où comptez-vous aller ? demanda Léa, subitement soucieuse pour sa petite sœur.

– Nous ne t'avons pas raconté ? Il y a un vieil homme qui rôde la nuit, dans l'hôpital. Personnellement, je l'ai vu deux fois. Alors, ça ne nous étonnerait pas qu'il soit... euh... comment dire... dans le...

Sylvain me coupa la parole.

– ... dans le coup du piratage ou du sabotage, comme vous voudrez.

Celui-là, il m'étonnera toujours, je crois...

– Tu sais Déborah, je ne suis pas tellement d'accord pour que tu quittes la chambre sans y être autorisée. Ça me paraît dangereux d'espionner. Que dirait maman ? Je me sens responsable de toi maintenant. Il faut que nous partions maintenant, Nathan et moi. Ça m'embête vraiment de te laisser seule.

– Ça t'embête de me laisser seule ! ! ! Pourtant, le jour de mon opération, tu n'es même pas restée ! Tu n'as pas voulu m'apporter mon ordinateur et tu n'as même pas...

– ... Ça suffit ! Je suis ta sœur aînée et je te ferai remarquer que je...

– Écoutez les filles. Ne vous disputez pas, interrompit Nathan. C'est vrai, nous devons partir Léa et moi... Mais voici ce que je propose. Cet après-midi, je rédige mon article. Ce soir, je reviens vous voir. Je pourrai vous accompagner.

Bertrand a raison, nous devons enquêter. Si, par hasard, nous tombons sur le rôdeur, je serai là. Je n'ai pas peur de lui. Nous essaierons de lui parler. Il faut savoir à quoi il joue. Il semble être impliqué dans l'affaire. Enfin... Nous verrons bien ! Qu'est-ce que vous en pensez ?

– Et en attendant, on reste ici à s'ennuyer ? demanda Bertrand, déçu.

– Reposez-vous pour être en forme ce soir !

Nous nous sommes finalement ralliés à la proposition de Nathan. Même Bertrand, qui n'était pas particulièrement réjoui à l'idée de se reposer encore, a fini par accepter. Léa était sécurisée. La perspective que Nathan nous accompagne dans notre exploration était tout à fait rassurante. La veille, nous n'avions rien osé tenter quand nous avions croisé le bonhomme. Nous nous sommes contentés de nous cacher et de nous sauver... ce qui n'est pas très efficace. Le suspect est vieux, il est seul, et ce soir, nous serons quatre, dont trois garçons vigoureux. À moins qu'il soit armé, je ne vois pas ce qui pourrait nous arriver. Oui, mais s'il était armé ?

Après le départ de Nathan et de Léa, nous nous sommes sentis bien seuls. Pour la première fois, la chambre paraissait grande. Il nous fallait nous occuper jusqu'à la tombée de la nuit. Ça risquait d'être long. Huguette proposa à Bertrand une partie de cartes. Elle essayait de le distraire pour qu'il supporte l'attente. Sylvain prit un livre pendant que je continuais à bouder. Oh ! je n'avais pas l'intention d'arrêter aussi vite. Ce serait trop facile. On pourrait me faire subir n'importe quoi, me torturer, m'humilier, me découper en morceaux, et ça passerait comme une lettre à la poste ? Ah ! non. Je n'allais pas me laisser poignarder dans le dos sans réagir.

Sans tourner la tête d'un millième de degré – je m'efforçais de la tenir le plus immobile possible – je percevais bien que Sylvain ne lisait que d'un œil. Il passait son temps à observer sa page, à tourner son visage vers moi, à baisser les yeux sur les lignes du livre, à me regarder encore. Son petit manège a duré un bon moment. Tout à coup, des mots sortirent involontairement de ma bouche :

– Il est intéressant, ton livre ?

– Oh ! je ne lis pas vraiment. Je n'arrive pas à me concentrer. Et toi, tu ne veux rien faire ?

Je n'allais quand même pas lui répondre que je boudais, même si je boudais. J'imaginais la scène. Quelle tête il aurait fait si je lui avais répondu : « Je boude, laisse-moi tranquille, tu m'as fait de la peine. Ta "blonde" est nulle et je pensais que tu n'en avais pas… » Au lieu de cela, je lui dis :

– Elle a l'air gentille, Marie-Chantal, tu la connais depuis longtemps ?

Incroyable ! Comment avais-je pu prononcer ces paroles alors que je pensais tout le contraire ? « Tu deviens hypocrite ou stupide, Déborah, attention ! » me suis-je dit. Finalement, ça n'était pas si bête de prêcher le faux pour apprendre le vrai.

– Oh! tu sais. Elle n'est pas vraiment ma copine. Je sors avec elle, mais juste comme ça. Je n'y tiens pas tellement. J'ai déjà failli rompre. C'est sûrement ce que je vais faire, bientôt, je crois. Elle est gentille, mais... Enfin... Et toi, Déborah? As-tu un petit ami?

– Non, et je ne veux pas en avoir! répondis-je immédiatement.

Est-ce que je devenais folle? Je disais encore exactement le contraire de ce que je voulais dire!

– Enfin, si je rencontre un garçon qui me plaît vraiment... ai-je ajouté.

Ouf! C'est assez! Ce n'était pas le moment de dire n'importe quoi. Si Sylvain était sincère quand il disait qu'il voulait rompre avec Marie-Chantal, j'avais peut-être une petite chance de sortir avec lui.

Cette discussion insolite nous rapprocha de nouveau. J'étais très troublée et j'avais l'impression d'avoir dit un tas de sottises! L'effet positif fut que j'en oubliais de bouder. Si bien que nous passâmes le reste de la journée à discuter. Cette fois, la conversation fut intime, pas comme les autres fois. Sylvain me parla beaucoup de lui. Il me dit qu'il avait deux petites sœurs qu'il aimait énormément. Il se sentait leur protecteur. Sa famille lui manquait. Ses parents et ses sœurs avaient dû aller en Europe pour le mariage d'une cousine. Il aurait bien aimé y aller, lui aussi. Mais il y avait eu cet accident stupide. Il n'aurait pas dû sortir des pistes. Ça lui avait valu cette immobilisation à l'hôpital.

Il est né à Bucarest, la capitale de la Roumanie. Il a immigré avec ses parents il y a sept ans. Ses sœurs sont nées au cours des deux premières années qui ont suivi leur installation ici. L'arrivée à Montréal a été un grand changement. Les premiers temps ont été difficiles pour tout le monde. Sylvain a dû apprendre le français et l'anglais, deux langues nouvelles pour lui qui ne parlait que le roumain. Son père, un mathématicien assez réputé dans son pays, a fini par trouver un poste de professeur dans une université. Sa mère s'est habituée à sa nouvelle vie. Maintenant, tout va bien pour eux. Ils sont très heureux et se sont fait des amis. Il m'a aussi dit, et cela m'a beaucoup étonnée, que son vrai nom n'est pas Sylvain mais Silviu. C'est un prénom courant dans son pays, mais inhabituel chez nous. C'est pourquoi il préfère dire qu'il se prénomme Sylvain.

Mon histoire était plus simple, encore que ça dépend de la manière dont on la voit. Je lui ai expliqué que Léa et moi étions nées à Montréal, mais que nos parents venaient d'un peu partout.

– D'un peu partout ? Qu'est-ce que tu veux dire ?

– C'est assez compliqué. Mes parents vivent ici depuis longtemps. Seulement, ma mère est française et ses propres parents viennent d'Italie et de Tunisie. Mon père, lui, est né en Suisse, mais ses parents sont nés en Allemagne et en Russie. Alors, tu vois un peu le mélange !

– Et on se retrouve tous, aujourd'hui, à Montréal, en Amérique du Nord ! C'est quand même prodigieux !

C'est vrai que c'est prodigieux. S'il n'y avait pas eu toutes ces naissances et tous ces déplacements, sans compter l'accident de Sylvain et mon opération, nous ne nous serions jamais rencontrés. Cette réflexion nous laissa tous les deux songeurs. Et maintenant, nous nous retrouvions dans un hôpital où les fiches informatiques étaient toutes mêlées. J'ai fini par rompre le silence :

– Heureusement que nous savons qui nous sommes, tu ne crois pas ?

– Pourquoi dis-tu cela ? Bien sûr que nous le savons !

– Oui, mais avec le problème de l'hôpital, imagine un peu les gens qui sont hospitalisés dans l'aile psychiatrique… Il y en a parmi eux qui ne savent même pas qui ils sont. Il y en a peut-être qui se prennent pour Shreck ou Spiderman ou, je ne sais pas moi, un des Simpson, peut-être…

– Oui, mais ceux-là, les fiches ne peuvent pas les renseigner sur leur identité…

Nous avons continué à bavarder encore longtemps et à la fin de la journée, comme il l'avait promis, Nathan est revenu. Cette fois, il était entré par une issue de secours. Le matin, en sortant, il avait pris la peine de bloquer la porte avec un morceau de bois pour qu'elle reste entrouverte. Il trouvait préférable de ne pas se montrer une nouvelle fois à l'entrée.

Comme le repas du soir n'avait pas encore été servi, nous devions être vigilants. Quelqu'un pouvait entrer dans la chambre à n'importe quel moment. Nathan devait se tenir prêt à se cacher. Mais en attendant…

– Alors, tu l'as fini, ton article ? demanda Sylvain.

– Oui, il est fini. Je vais vous le lire. Vous me direz ce que vous en pensez.

– D'accord ! dirent en chœur les occupants de la chambre.

C'était la première fois de ma vie que je prenais connaissance d'un article de journal avant les lecteurs ordinaires. J'éprouvais un étrange sentiment. J'avais l'impression de faire partie de l'élite, ces gens très importants qui savent les choses avant les autres. Depuis long-temps, je rêvais de devenir une *Very Important Person*. Aujourd'hui, j'étais une VIP. Nathan reprit la parole.

– Voilà ! Mon article s'intitule « Virus à l'hôpital ». Qu'est-ce que vous en pensez ? C'est percutant et je suis sûr que ça va attirer l'attention du lecteur.

– Sauf qu'on ne sait pas si c'est vraiment un virus, ai-je objecté. Du sabotage ou du piratage peut-être, mais un virus, ça m'étonnerait !

– Ouais ! tu as peut-être raison, admit Nathan. J'ai un autre titre : « Les malades en danger : un grand hôpital de Montréal, sous très haute surveillance »

– C'est un peu long, mais pourquoi pas ? Continue ! dit Sylvain.

De notre envoyé spécial à Montréal, Nathan Krief. L'affaire sera-t-elle rendue publique ? Un scandale semble donner du fil à retordre à la direction du Grand Hôpital de Montréal, qui préférerait étouffer l'affaire. Une panne informatique, dont on ignore la cause, crée une confusion dans les données de l'ordinateur central de l'hôpital. Le personnel soignant ne sait plus de quoi souffrent les malades parce que les fiches sont toutes mélangées. Cherchant à prévenir tout affolement, le directeur, M. Sentépube, aurait donné de strictes directives à l'ensemble de son personnel. Ainsi, aucun individu non autorisé ne peut pénétrer dans l'hôpital. Jusqu'ici, pas un informaticien n'a réussi à comprendre ce qui se passe. Le mystère reste entier. Les membres de la direction et les représentants de la société informatique chargée de régler le problème ont refusé de répondre à nos questions. En revanche, nous avons interrogé des personnes qui ont été empêchées, ce matin, de rendre visite à leurs proches. « C'est tout à fait inadmissible ! Comment l'hôpital peut-il m'empêcher de rendre visite à mon mari ? Ça lui ferait le plus grand bien ! » nous a dit une femme dont l'époux est hospitalisé pour un ulcère à l'estomac. Une mère nous a dit : « C'est bien la première fois qu'on m'interdit l'accès à la chambre de ma fille. Ma petite a subi une intervention chirurgicale. On lui a enlevé l'appendice et je voudrais bien voir comment elle va !... »

– C'était maman ! dis-je, en interrompant Nathan.

– Ta mère ? Non, pas du tout, j'étais avec Léa quand j'ai interrogé cette femme. Ce n'est pas elle... Laisse-moi finir.

– Donc... je continue : ... *Combien de temps faudra-t-il encore pour remettre de l'ordre dans les données des patients hospitalisés ? C'est la question que tout le monde se pose. En attendant, on peut craindre que certains patients voient leur mal s'aggraver en l'absence de traitement adéquat. Des étudiants en médecine ont été dépêchés dans les chambres des malades pour...*

– Arrête Nathan ! On a promis qu'on ne mettrait pas les deux étudiants en cause ! fit remarquer Sylvain.

– Ne t'inquiète pas ! Je ne cite pas leur nom. J'explique seulement les mesures mises en place par l'hôpital. Ça ne peut que rassurer le public ! Je continue : ... *Des étudiants en médecine ont été dépêchés dans les chambres des malades pour recueillir les renseignements les plus urgents et procéder à des examens sommaires. Espérons que l'enquête révélera ce qui s'est passé dans cet hôpital pour éviter qu'un incident semblable ne se produise ailleurs !* Point ! Voilà, j'ai fini.

Tout le monde a félicité Nathan. Il avait écrit un bon article. J'aurais été bien incapable d'écrire un texte aussi long en un après-midi, comme lui. Quand j'ai un texte à rédiger, je mets des heures avant d'avoir l'idée du premier mot. Je le trouve très brillant, ce Nathan !

– Bon ! dit Sylvain, ton article est bien, mais va-t-il sortir dans un quotidien, demain ?

– Bonne question ! répondit Nathan. Devinez un peu ! J'ai envoyé un courriel à mon professeur, à l'université. Il a accepté de m'aider. Je lui ai fait parvenir mon article. Il va le lire et le corriger s'il le faut. Comme il a beaucoup de relations dans le milieu journalistique, mon article pourrait être publié dès demain. C'est la gloire, pour moi, si ça marche !

Nathan était tellement content en disant cela, qu'il a élevé la voix sans s'apercevoir que la porte s'ouvrait au même moment. C'est Bertrand qui a réagi.

– Attention ! Quelqu'un !

En un éclair, Nathan a disparu sous le lit de Huguette. Mais catastrophe ! Toutes ses affaires étaient restées en plan sur une chaise et par terre. Il y avait, bien en vue, son gros blouson, son bonnet, ses gants, son sac à dos. De plus, les traces mouillées de ses bottes sur le sol faisaient des taches noires dans cette chambre où tout était blanc. Nous avons fait comme si de rien n'était.

Deux cuisiniers sont entrés dans la chambre avec une table roulante. Ils nous apportaient le repas du soir. Nous les avons reconnus : c'était ceux de la veille. Nous les avons salués aimablement. Il fallait tout faire pour qu'ils ne remarquent rien.

– Bonjour, ça va bien, nous demandèrent-ils ?

– Pas mal, répondit Huguette.

– Tiens ! nota l'un d'eux, en voyant Huguette, on vous a mis avec des enfants ? C'est normal, ça ? Êtes-vous sûre que vous êtes dans la bonne chambre ?

Elle est bonne celle-là. Nous craignions qu'ils s'étonnent de la présence des affaires de Nathan, et c'est Huguette qu'ils remarquaient ! La situation devenait pourtant critique. C'est alors que Huguette nous a fait la démonstration de ses talents. Elle s'est mise à parler haut et fort...

– Je ne sais pas, mais je suis très bien ici. Je n'ai pas l'intention de partir aujourd'hui, ni demain. Je partirai quand ça me plaira. Messieurs, je ne vous retiens pas. Vous connaissez le chemin. Tâchez de ne pas salir le plancher avec vos bottes sales. Il n'est déjà pas propre, propre. Allez, déguerpissez avant que je sois complètement hors de moi.

Les deux pauvres cuisiniers, médusés, ne savaient plus quoi faire ni que penser sous le flot de paroles de Huguette. Elle n'arrêtait pas, elle criait, elle déclamait ! Nous ne l'avions jamais vue dans un état pareil. Était-elle sérieuse ou voulait-elle seulement faire diversion ? En tout cas, les deux cuisiniers ont posé rapidement nos plateaux pour sortir au plus vite.

– Va-t-en ! décampe, fourbe qui te moques de moi ! Malheur à toi et à toute la clique de ceux qui triomphent ainsi de ma misère. Allons, décampe, te dis-je, continuait Huguette...

– Oui, oui, madame, calmez-vous, calmez-vous, nous partons !

Ils sont partis en fermant soigneusement la porte derrière eux. Nous avons éclaté de rire. Nathan est sorti de sa cachette. Il riait, lui aussi. Il nous a dit que pendant le numéro de Huguette, il voyait tous les ressorts du lit s'agiter au-dessus de sa tête.

– Félicitations, Huguette, tu as sauvé la situation, dit-il, et en beauté !

– Et alors ! Qu'est-ce que vous croyez, mes petits ? Je me suis inspirée du personnage de Catharina dans *La mégère apprivoisée* de William Shakespeare lui-même ! Acte III, scène II, et Acte IV, scène III... Je n'ai pas fait du théâtre pendant dix ans de ma vie pour rien, quand même !...

Huguette nous avait épatés. Elle était époustouflante ! Elle méritait nos applaudissements. Elle a même eu droit à une ovation debout.

Chapitre 8

Gare au rôdeur !

– Il court, il court le rôdeur… Où l'avez-vous vu ? Vous en parlez tout le temps ! Vous l'avez vu à deux reprises, n'est-ce pas ? Ou plutôt, c'est Déborah qui l'a rencontré deux fois ; je ne sais plus… Parce que…, voyez-vous, je suis en train de réfléchir à la meilleure stratégie… À condition de le trouver, évidemment… Si notre objectif est de l'attraper pour l'interroger, l'idéal serait qu'on l'attire dans un guet-apens. Il faudrait pouvoir lui tendre un piège. On le maîtriserait, on le questionnerait, on l'écouterait… et on saurait ce qu'il trame. Le seul problème, c'est de savoir comment…

Nathan élaborait ses plans à haute voix. Nous avions terminé notre repas du soir, caché les affaires de Nathan et étions prêts à sortir de la chambre, mais pour aller où ? Voilà la question à laquelle nous n'avions pas encore de réponse.

– Tu sais, Nathan, les deux fois où je l'ai vu, c'était par hasard. Rien ne dit qu'il est encore là, à nous attendre en se tournant les pouces…

126

Ce serait un miracle que nous tombions sur lui une autre fois… !

– Naturellement ! Mais si l'on part de ce principe, je ne vois pas bien comment faire progresser notre enquête, ni même la démarrer. Il n'y a personne d'autre à interroger… Sur ce point, vous êtes d'accord avec moi, je suppose…

– Pas besoin d'interroger quelqu'un… Dans tous les films policiers, les détectives découvrent des indices… en cherchant un peu ! …

Les références de Bertrand, grand amateur de séries télévisées, étaient différentes de celles de Nathan, étudiant en journalisme à l'université, où on lui apprenait qu'il faut traquer les personnes clés afin d'enquêter auprès d'elles.

– Moi, dit Sylvain, je propose de retourner au sous-sol. C'est le seul endroit où nous sommes sûrs d'être tranquilles. Et ça nous permettrait au moins de réfléchir… Il est encore tôt. Nous ne sommes pas fatigués comme hier. Nous aurons plus de temps pour explorer.

Nous avons donc pris le chemin du sous-sol comme Sylvain le suggérait. À vrai dire, je ne mourais pas d'envie d'y retourner et de me retrouver face à face avec les deux faux cadavres… Mais, puisque les garçons étaient d'accord, je n'avais qu'à les suivre docilement.

Nous avons suivi le même chemin que la veille, mais cette fois, ce sont Nathan et Bertrand qui ont aidé Sylvain dans les escaliers. En arrivant dans le labyrinthe de corridors, malgré l'obscurité, Nathan crut reconnaître les lieux…

– Tiens ! Je crois que c'est par ici que je suis entré dans l'hôpital, tout à l'heure ?… Mais oui !

– Qu'est-ce que tu dis ? demanda Bertrand.

– Ce matin, avec Léa ! Nous avons emprunté une sortie de secours par laquelle je suis revenu. Si je ne fais pas d'erreur, c'est celle qui est au fond, là-bas…

Mes yeux s'étaient habitués à l'obscurité et j'apercevais l'index de Nathan, tendu droit devant nous…

– … Mais oui ! C'est là… J'avais remarqué que le bâtiment était construit sur un terrain en pente. Le sous-sol devient un rez-de-chaussée par endroits. La sortie de secours est le passage idéal pour quitter discrètement les lieux…, et y revenir, bien sûr… Suivez-moi… ! Je vais vous montrer par où je suis passé. Il y a d'ailleurs un ascenseur dans le coin. Nous aurions pu éviter les escaliers…

Nathan avait sûrement raison. C'était bien qu'il soit avec nous. Ça me réconfortait. Nous avions tant erré la veille avant de retrouver notre chemin ! C'était lui qui nous guidait, maintenant. Nous l'avons suivi jusqu'au bout d'un long couloir avant d'arriver à l'endroit qu'il avait repéré ; celui par où il était effectivement passé. Plus nous avancions, plus la température baissait. Il faisait maintenant un froid glacial que seul le yéti, ou l'abominable homme des neiges, pouvait apprécier ! La porte de secours était restée entrouverte ; c'est ce qui expliquait ce froid inhumain. Pendant que je grelottais sur place, Nathan inspectait les lieux tranquillement, sans se presser. Par la vitre de la porte, la lune argentée nous éclairait comme en plein jour. Le front plissé, Nathan paraissait soucieux.

— Que cherches-tu, Nathan ? Tu as perdu quelque chose ? lui demanda Sylvain. Il fait extrêmement froid, ici. Peux-tu fermer la porte, s'il te plaît ?

— Désolé si vous avez froid. Je ne peux pas la fermer tout de suite. Il y a quelque chose de très bizarre.

— Qu'y a-t-il de bizarre ? s'étonna Bertrand. C'est normal qu'on gèle si la porte est ouverte.

— Ce n'est pas ça... Il faut que je vous explique. Quand je suis sorti, ce matin, avec Léa, je lui ai dit de m'attendre en tenant la porte, le temps que je trouve un morceau de bois pour la bloquer. Il fallait que je m'arrange pour rentrer sans difficulté. Quand je suis revenu avec mon bout de bois, Léa m'a dit que le mécanisme de verrouillage de la porte était endommagé. Il serait donc possible de l'ouvrir de l'extérieur. J'avoue que je n'ai pas vérifié. J'étais pressé. J'ai placé mon bout de bois de manière que la porte ne se ferme pas derrière moi, et je me suis sauvé avec Léa.

— Bon, et alors ? Tu crois qu'effectivement le mécanisme est cassé. Ça veut dire que tu aurais pu ouvrir la porte sans te donner la peine de trouver ton bout de bois, conclut Bertrand. Si ce n'est que ça...

– Pas du tout ! Ça n'a rien à voir avec ce que tu dis. Je l'ai trouvé très vite mon morceau de bois. Cependant, je voudrais être sûr qu'on peut entrer de l'extérieur quand la porte est fermée. Et je t'avoue que je n'ai pas envie d'essayer... parce que si ça ne marche pas et que je reste bloqué dehors, sans blouson, avec ce froid de canard...

– Il y a quelque chose que je ne saisis pas, dis-je. De quoi as-tu peur ? Vous l'avez bien ouverte, votre porte, ce matin, quand vous êtes sortis par là ?

– Voilà le point important ! Elle était déjà ouverte. Nous avons supposé qu'il s'agissait d'une négligence, que quelqu'un avait oublié de la refermer... Seulement, maintenant, je pense autrement parce que mon bout de bois a disparu !

– Ton bout de bois ? Tu es sûr de te souvenir de l'endroit où tu l'avais laissé ?

– Sûr et certain. Je l'ai caché là, dans le recoin.

– Et donc... quelqu'un l'aurait pris. C'est bien cela ?

– Exactement ! Ce qui signifie que je ne suis pas le seul à utiliser cette porte pour entrer discrètement dans l'hôpital... Il y a quelqu'un d'autre qui a intérêt à ne pas attirer l'attention sur lui...

Nous étions tous abasourdis ! La découverte de Nathan nous avait convaincus que l'homme que nous recherchions passait par la même sortie de secours, mais pour faire quoi ? Cet inconnu était assurément dangereux. Il s'était déjà arrangé pour que les malades ne puissent plus être soignés, et voilà qu'il préparait peut-être un autre mauvais coup ! Peut-être avait-il brisé lui-même le mécanisme de la porte ? Peut-être était-ce un vulgaire cambrioleur ? Ce morceau de bois dont nous parlait Nathan était-il grand ? Le mystérieux inconnu pouvait-il nous assommer avec ce bout de bois ? Ce scélérat était peut-être là, tout près de nous, à nous épier ? Et s'il se jetait sur nous, nous capturait dans un immense filet, nous suspendait dans les airs ou nous torturait jusqu'à ce que nous rendions l'âme ? Peut-être cet homme était-il un savant fou qui dissèque ses victimes et leur arrache le cœur et la cervelle ? J'avais l'impression que mon cauchemar devenait réalité. Peut-être avais-je fait un rêve prémonitoire !...

Dire que nous pensions être capables d'attirer l'homme dans un guet-apens ! Fallait-il être assez naïfs ! Je tremblais de peur et je claquais des dents comme la veille…, pire que la veille ! Et le froid qu'il faisait n'arrangeait rien. Mes craintes étaient bien plus terribles que la perspective de la rencontre de quelque fantôme inoffensif ! J'en arrivais même à regretter la compagnie du squelette et de l'écorché vif…

Soudain, un bruit terrible nous fit sursauter. Nous étions déjà très nerveux ! Nous avions l'impression qu'une masse énorme venait de s'affaler sur le sol, à quelques centimètres de nous !

– Qu'est-ce que c'est que ça… ? demanda Bertrand, la voix tremblante.

Je me réfugiai contre Sylvain en prenant garde de ne pas le heurter du côté de sa clavicule bandée. Il enveloppa mes épaules de son bas droit.

Que faire et que penser ? Nous restions là, pétrifiés, guettant bêtement un nouveau bruit… Mais il n'y en eut pas. Rien ! Le silence ! Un silence lourd ! Nous attendions, figés comme des statues. Tout semblait être redevenu calme, mais nous ignorions toujours ce qui avait provoqué notre terreur. Soudain, en regardant du côté de la porte vitrée, Nathan s'écria :

– Regardez ! À l'extérieur… C'est un immense bloc de glace qui s'est affalé sur le sol enneigé ! Il est tombé du toit. On voit de gros morceaux éparpillés… par terre ! Il devait être énorme ! Vous imaginez un peu, si j'étais sorti à ce moment-là ?

Nous en avions le souffle coupé. Nathan venait d'échapper à un effroyable accident. Quelle bonne idée il avait eue de ne pas sortir pour vérifier le mécanisme de la porte !

– Eh bien ! Je crois que tu l'as échappé belle ! soupira Bertrand. Un peu plus, on te retrouvait mort, haché menu, écrabouillé ! Et même dans un hôpital, je ne crois pas que tu aurais pu être sauvé…

– Ouais, je crois que tu as raison ! répondit Nathan encore secoué. J'ai eu une chance inouïe… !

La soirée s'annonçait mouvementée. Quelle idée aussi de s'aventurer en pyjamas, en pleine nuit, dans un lieu de torture, et risquer d'être à la merci d'un redoutable malfaiteur ! Si maman voyait ça !

Une sonnerie de téléphone nous fit sur-sauter…

– C'est mon cellulaire ! dit Nathan.

– Génial ! Pourquoi ne pas nous l'avoir dit plus tôt que tu avais un cellulaire ? Je pourrais téléphoner à maman…

– Allô ! Oui, … oui, … oui… Naturellement ! Veux-tu que je te la passe ? … Non, d'accord… Oui… Non ! ! ! Génial ! Je n'en reviens pas ! Peut-être, demain… C'est formidable. OK, bye !

– Nathan, s'il te plaît, prête-moi ton télé-phone. Je vais téléphoner à maman.

– Inutile Déborah ! C'était Léa qui m'appelait. Elle a tout expliqué à ta mère. Tout va bien… ! J'ai une grande nouvelle à vous annoncer…

Tout va bien…, tout va bien puisque Nathan le dit. Mais moi, j'aurais quand même aimé lui parler à maman. C'est encore la faute de Léa !

– Quelle grande nouvelle as-tu à annoncer ?

– Je pense que mon prof s'est arrangé pour que l'affaire de l'hôpital soit signalée dans les médias. Léa a regardé le bulletin d'informations à l'heure du souper. Le présentateur a mentionné qu'il se passait quelque chose à l'hôpital, sans donner de détails, mais quand même, il en a parlé.

— Je suis content pour toi, dit Sylvain. Ton article va certainement sortir dans le journal demain. Félicitations! Ta carrière est lancée…

— C'est bien beau tout ça, trancha Bertrand, mais on fait quoi, maintenant?

J'étais d'accord avec Bertrand : on avait assez perdu de temps. Ces deux espèces d'intellos étaient tout sauf efficaces. Heureusement que j'étais là…

— Hé! regardez sur le sol. Il y a des traces de pas.

— Bravo! Déborah, dit Sylvain, enthousiaste. Tu es la meilleure! Suivons ces traces!

Mon cœur fit un bond. Enfin un compliment! En même temps, il m'avait serré contre lui et j'en frissonnais. Je me suis ressaisie très vite, et me suis dégagée de son étreinte. Tant que Marie-Chantal sera entre nous, je refuserai toutes ses avances, me suis-je juré… Non, mais pour qui me prend-il?

Avec toute l'épaisseur de neige qu'il y avait à l'extérieur, ce n'était pas étonnant qu'il reste des traces de pas mouillées dans le couloir. Toutefois, elles séchaient rapidement et elles devenaient difficiles à voir. Je crois aussi que nous marchions dedans sans nous en rendre compte, ce qui n'arrangeait rien. Et si ces traces étaient celles de Nathan ? Alors, là, il n'y avait pas de quoi être fière de moi. Mais comment savoir ? À mesure que nous nous éloignions de la porte vitrée, il faisait moins froid, mais aussi moins clair. Il devenait difficile, dans ces conditions, de repérer les quelques traces un peu boueuses qu'il pouvait y avoir sur le sol. Nous continuions à avancer, sans plus trop nous soucier des empreintes. Il faisait tellement sombre que j'avais l'impression que nous ne suivions plus rien. Nous marchions à la queue leu leu dans ce labyrinthe qui ne semblait aboutir nulle part.

– Vous y voyez quelque chose, vous ?

– Pas vraiment, me répondirent les autres.

C'est alors que nous avons vu une sorte de clignotement suspect. Une lumière, extrêmement faible, scintillait par moments dans le couloir tout noir. Elle provenait d'une des pièces qui suivaient celle devant laquelle j'avais posé ma question. Heureusement que je n'avais pas parlé trop fort. J'ai dit encore plus bas :

– Psitt ! Il y a quelque chose, là…, juste là…

– Ouais, tu as raison, dit Nathan, à voix basse. Restez ici ! Je vais voir…

Nathan avançait silencieusement, sur la pointe des pieds. La lumière était assez près de nous. Quatre ou cinq salles plus loin, peut-être, pas davantage. Collés tous les trois contre le mur, nous avons vu Nathan disparaître dans l'obscurité profonde. Au bout d'un moment, il est réapparu devant nous…

– Il y a quelqu'un dans la salle, je crois. Je n'ai pas bien vu. Je pense que la lumière provient de l'écran d'un ordinateur. C'est ce qui produit les clignotements… J'y retourne !

Mon cœur battait à douze mille deux cent soixante-dix-huit battements à la minute. Pourquoi est-ce que je pensais à ce chiffre ? Je n'en ai pas la moindre idée ! Ce que je sais, c'est que même près de mes amis, j'avais une peur terrible. Sur qui allions-nous tomber ? Que ferions-nous s'il s'apercevait de notre présence ? Nous faudrait-il courir encore ? Dans quelle direction : vers la droite ou vers la gauche ? Du côté de la porte, c'est-à-dire du côté de la lumière et du froid ou de l'autre côté, c'est-à-dire du côté de l'obscurité et de l'inconnu ? Des millions d'idées me venaient à l'esprit. Il paraît que c'est comme ça quand on sait sa fin proche. Bertrand et Sylvain restaient parfaitement silencieux et impassibles. Je n'osais pas bouger. Je me taisais. Tout à coup, on a entendu des bruits sourds. Ils venaient de l'endroit vers lequel Nathan s'était dirigé. C'était comme si l'on déplaçait une chaise ou qu'on traînait un meuble sur le sol. On entendait aussi des voix.

– Allons-y, dit Sylvain. Nathan a peut-être besoin de notre aide !

– Tu crois ? Ne devrions-nous pas l'attendre ici, dis-je en courant avec lui dans la direction du bruit…

Bertrand est arrivé le premier. En entrant dans la pièce, il n'a pas hésité à allumer la lumière. J'admirais son courage. Cela nous a permis de voir ce qui se passait. Nathan était aux prises avec un homme. Bertrand lui portait secours, du mieux qu'il le pouvait. La scène était un peu comique. Rien à voir avec un film de kung-fu avec Bruce Lee dans le rôle principal. L'homme se débattait à peine. Il avait l'air de ne rien comprendre à ce qui lui arrivait. Je reconnus mon rôdeur. Il n'était pas aussi effrayant que je l'avais imaginé. En nous voyant tous dans la pièce, l'homme avait l'air vraiment étonné!

— Qu'est-ce que vous faites là, les enfants? Il est tard. Vous devriez être au lit!

— Comment ça? Qu'est-ce que nous faisons là? Et vous, alors?

L'homme parlait avec beaucoup de douceur. Retenu énergiquement par Nathan et Bertrand, il ne se débattait plus. Il avait l'air paisible. Sa voix était chaude et rassurante. Il paraissait sincèrement s'inquiéter pour nous. Les petits malades avaient besoin de repos, disait-il. Si nous étions hospitalisés, c'est que nous avions besoin de soins. Notre séjour ici avait pour but de nous permettre de récupérer nos forces avant de retourner dans notre famille. Il disait aussi que les microbes voyagent dans un hôpital et qu'il est imprudent de s'y promener, à cause des risques de contagion. Et plein d'autres mots gentils... J'étais bercée par ses paroles. On aurait dit maman quand elle s'inquiète pour moi.

Bertrand ne croyait pas un mot de ce qu'il entendait.

– Vous nous faites croire que vous vous souciez de notre santé, alors que vous faites tout pour empêcher notre guérison ! Et pas seulement la nôtre… ! Vous voulez rendre tous les gens qui sont ici encore plus malades ! ! !

– … Les rendre plus malades ? Moi ? ? ? Oh ! ça non ! Vous vous méprenez sur mon compte, les enfants. Au contraire ! Je vous assure… Vous n'imaginez pas à quel point je me préoccupe de la santé des autres et de celle des enfants, en particulier. Allez ! Vous pouvez me lâcher maintenant.

Les garçons restaient quand même un peu sur leurs gardes, par prudence. Et s'il mentait pour nous tromper ? S'il se moquait de nous ? S'il essayait de nous rassurer pour se reprendre et révéler sa vraie personnalité ?

– Avant que nous vous relâchions, vous allez nous dire ce que vous faites ici, déclara Nathan. Nous avons de bonnes raisons de douter de vos paroles. Nous savons qu'il y a un problème informatique dans l'hôpital. Un petit saboteur s'amuse à détruire les données sur les personnes hospitalisées. Est-ce que c'est vous ? dit-il en resserrant sa prise. Répondez ! Inutile de nous mentir… Et ne croyez pas nous endormir avec vos paroles bienveillantes !

– Je vois, dit l'homme qui semblait soudain très fatigué. Vous êtes donc au courant ! Me permettez-vous de m'asseoir un moment ? Je ne peux pas rester debout trop longtemps.

Je me suis précipitée pour lui apporter une

chaise. Il s'est assis et m'a remerciée chaleureusement. D'un air accablé, il est passé aux aveux.
C'est vrai qu'il était responsable de la panne.
Mais pas comme nous l'imaginions. Quand il
s'est mis à parler, son visage s'est assombri. Il
respirait difficilement. Je le trouvais touchant.
Il paraissait porter toute la misère du monde sur
ses épaules. À un moment, il a baissé la tête. Il
s'est tu pendant quelques secondes, puis il nous a
regardés droit dans les yeux. De son regard bleu
perçant, il a fixé chacun d'entre nous, comme
pour s'assurer qu'il pouvait nous faire confiance.
Et là, il nous a raconté une histoire absolument
ahurissante… Nous étions complètement envoû-
tés par ses paroles. Cet homme était tout simplement fascinant.

Celui que nous prenions pour un vulgaire
malfaiteur avait été le directeur de l'hôpital.
C'était un grand pédiatre qui avait obtenu de
nombreuses récompenses pour ses recherches. Il
était connu mondialement. Retraité depuis quinze
ans, il ne se résignait pas à interrompre ses
travaux. Son épouse aurait préféré qu'il prenne le
temps de se distraire maintenant qu'il avait du
temps libre. Mais il ne supportait pas que des
enfants puissent souffrir. Il cherchait par tous les
moyens à leur venir en aide.
Il était spécialisé dans les maladies infec-
tieuses. C'est lui qui avait révélé au monde l'existence d'une pathologie rare, qui avait touché son

propre petit-fils. Aujourd'hui, cette affection était connue sous le nom de syndrome de Wajnacht-Bidiouck. C'était son nom. Un nom à coucher dehors, mais enfin... ça n'était pas sa faute...

Il avait fait d'autres découvertes, mais il s'est surtout attardé au syndrome de Wa-Je-ne-sais-pas-quoi, causé par un médicament donné à certaines femmes enceintes. Dans quelques cas très rares, l'enfant naît avec ce syndrome qui peut compromettre sa croissance. Il nous a expliqué tous les détails scientifiques, mais je dois avouer que je n'y comprenais rien. J'ignore si c'était plus clair pour mes camarades, mais c'est sans importance. Le cœur de l'histoire n'était pas là. Il y a une quinzaine d'années, il n'avait pas tout à fait l'âge de la retraite, mais à cause de querelles, de rivalités et de la jalousie, il avait dû prendre une retraite anticipée. En clair, on lui avait montré le chemin de la sortie, car il gênait certains de ses collègues !

– Pourquoi voulaient-ils vous renvoyer ? Pour prendre votre place de directeur ? demanda Nathan.

– Il y a de cela, mais plus encore ! Ceux qui m'ont fait partir refusaient de m'accorder les fonds nécessaires pour poursuivre mes recherches. Il fallait que je trouve un moyen de soigner les enfants atteints du syndrome que j'avais découvert. Tout en dirigeant l'hôpital, je m'étais entouré d'une équipe de recherche efficace et dévouée. Certains en étaient agacés, en particulier ceux qui ne faisaient rien...

– Et votre petit-fils ? Était-il déjà né ?

– Il venait de fêter son deuxième anniversaire. C'est à cette époque que j'ai diagnostiqué sa maladie. J'ai cru devenir fou quand on m'a interdit l'accès à mon laboratoire. Mes recherches étaient sur le point d'aboutir et je ne pouvais plus espérer soigner mon propre petit-fils !

– Si mes calculs sont bons, dis-je, il a 17 ans, aujourd'hui.

– Oui, et Dieu merci, il va très bien ! Cette bande de voyous qui voulait m'empêcher de travailler n'est pas parvenue à ses fins. En poursuivant mes recherches avec les moyens que j'avais, j'ai finalement découvert un remède…, et j'ai couru le risque de l'essayer sur Benjamin. Je n'en connaissais pas les effets secondaires, mais le temps pressait. Si je ne l'essayais pas, Benjamin était perdu. Il n'aurait pas grandi normalement et il était condamné à une mort effroyable. De mon côté, je risquais probablement la prison, mais ça m'était égal… Et aujourd'hui, maintenant que je suis sûr que le remède est sans danger, voilà que… Oh !… Mon Dieu !…

Le pauvre homme avait la voix brisée. Son corps était plié en deux sur la chaise. Il avait posé ses coudes sur ses genoux et il sanglotait en tenant son visage dans ses mains. Qu'est-ce qui pouvait bien le mettre dans cet état ? Nous avons attendu patiemment qu'il reprenne ses esprits. Nous étions un peu gênés d'être témoins de sa peine. Puis, les yeux pleins de larmes, il a poursuivi son extraordinaire récit.

– Tout ce qui se passe ici depuis trois jours est entièrement ma faute. Involontairement, j'ai tout provoqué. J'ai voulu trouver, dans les fichiers de l'hôpital, la liste des femmes à qui l'on avait prescrit le dangereux médicament. Comme je connais tous les codes d'accès, je n'ai eu aucun mal à entrer dans les fichiers. Mais quelque chose de terrible s'est produit. À mesure que je notais le nom et l'adresse des personnes qui m'intéressaient pour pouvoir entrer en contact avec elles et leur proposer le traitement adéquat si leur enfant était malade, les données se mélangeaient ou disparaissaient carrément.

– C'est pour ça que toutes les fiches sont mêlées, maintenant ?

– Oui. C'est moi qui suis la cause de cette calamité. Vous pensez bien que je n'ai pas voulu mêler les fiches. Cela fait deux nuits que je tente, sans succès, de trouver ce qui a pu entraîner cette conséquence désastreuse. C'est pourquoi vous m'avez trouvé ici. Je travaillais sur cet ordinateur…

Un ordinateur ! Moi qui en cherche un depuis que je suis arrivée ici ! Ce n'était pas le moment de m'asseoir pour clavarder avec mes copines, mais ce n'est pas l'envie qui manquait. J'essayais de me contrôler en attendant la fin de l'histoire. Tant que l'atmosphère était à la peine et aux lamentations… il valait mieux que je garde le silence.

Pourtant, un détail tourmentait Henri (c'est son prénom). Le problème était certainement survenu par sa faute, car c'était dans l'espace où il avait composé son code, celui qu'il avait du temps où il était directeur, que quelque chose d'anormal s'était passé. L'écran s'était soudain éteint, puis rallumé de lui-même... C'était comme si son code personnel avait été le déclencheur du drame !

Chapitre 9

Au travail !

Henri était un homme ab-so-lu-ment gé-ni-al ! Gentil, sympathique, sensible, bienveillant, attentif, indulgent, dévoué, intelligent, drôle… parfois un brin lent à nous comprendre, mais personne n'est parfait !

En une demi-heure, il nous avait convaincus de son innocence. Notre malfaiteur s'était transformé en brave homme adorable et innocent. Il avait suffi que nous prenions la peine de l'écouter pour être sûrs de sa bonne foi et de son honnêteté. Nathan et Bertrand lui ont présenté des excuses pour l'avoir malmené. Le bon monsieur comprenait parfaitement notre attitude méfiante. J'étais vraiment contente que les événements de la nuit se terminent ainsi.

— Vous savez Henri, c'est moi qui vous ai aperçu la première. C'était à l'étage de notre chambre. Vous sortiez à toute vitesse du secrétariat. Vous m'avez fait une peur bleue !… Comme vous m'avez bousculée au passage, vous comprendrez que j'étais très en colère contre vous !

— J'espère que tu m'as pardonné… euh…

– ... Déborah !

– ... Oui... Déborah... Tu sais, je t'avoue que je ne t'ai même pas vue. J'étais tellement bouleversé par le chaos que je venais de provoquer... Je regrette sincèrement de t'avoir effrayée. Je ne t'ai pas blessée, au moins ? Je te demande encore pardon.

Les qualités de cœur ne lui manquaient pas ! Bien sûr que je lui pardonnais. D'ailleurs, j'exagérais probablement quand je prétendais qu'il m'avait fait « très » mal. Il m'avait un peu bousculée et j'avais été surprise. C'est tout ! Comment lui en vouloir ? En regardant le visage ridé de cet homme, je ne pouvais m'empêcher de penser à un vieil oncle que j'aurais affectionné tout particulièrement. J'avais soudainement l'impression de le connaître depuis toujours. En vérité, je ne vois absolument personne dans mon entourage avec qui établir un quelconque rapprochement. Seulement, il est parfaitement possible qu'il ressemble à l'un des membres de ma famille. Ils sont nombreux et je ne peux évidemment pas les connaître tous... !

« J'aurais besoin de me reposer l'esprit un peu avant de reprendre mon travail, dit Henri. Aimeriez-vous que je vous fasse visiter une ou deux salles spécialisées en technologie médicale ? Il y a des endroits étonnants que vous n'avez certainement jamais vus... »

Puis, se tournant vers Sylvain, il ajouta :

– Toi, mon garçon, je vais te trouver une béquille pour marcher...

– C'est gentil, répondit Sylvain. Je rêve de connaître les coulisses d'un hôpital.

– ... L'idée me séduit aussi, dis-je, mais... euh... avant... est-ce que vous me permettez de regarder une petite chose sur l'ordinateur qui est là, s'il vous plaît, Henri ? Cela fait si longtemps que je n'ai pas consulté ma messagerie ! Vous devez avoir accès à Internet, ici ?... Parce que...

– Écoute ! coupa Bertrand. Allons d'abord visiter les salles. Nous n'allons pas attendre que tu aies terminé. Il y a mieux à faire... Tu peux rester dans ce bureau toute seule si tu veux...

Évidemment, non ! Je n'avais aucune envie de rester seule dans ce lieu inconnu, en attendant qu'ils reviennent. J'avais eu suffisamment d'émotions. Décidément, ce n'était pas facile de mettre la main sur un ordinateur... ! Je devais me rallier à la majorité.

Henri nous a menés dans une première salle où il y avait un impressionnant appareillage. On se serait cru dans la cabine d'un vaisseau spatial. Il nous a expliqué qu'on y pratiquait la « tomographie axiale informatisée »... Je n'avais jamais entendu parler de cette bête-là. Toutefois, je ne demandais pas mieux que d'apprendre... À l'aide de rayons X invisibles, qui peuvent être dangereux si l'on n'y prend pas garde, le médecin établit son diagnostic grâce à un scanner qui explore le corps du patient. Je sais pourtant ce qu'est un scanner ! Mais celui qu'il nous a montré était gigantesque et n'avait rien de comparable à ceux qu'on utilise dans le domaine informatique...

Henri a ensuite utilisé son passe-partout pour nous faire entrer dans la salle des traitements par ondes de choc. Il nous a expliqué que ce sont des ultrasons qui permettent, dans certains cas, de pulvériser les calculs rénaux, par exemple. La méthode n'était sans doute pas possible dans le cas de Huguette, puisqu'on a eu recours à la chirurgie. Toutefois, ces hautes fréquences sont drôlement efficaces pour savoir si une femme enceinte aura une fille ou un garçon. Dans un album de photos, à la maison, il y a les clichés des échographies de maman, quand elle était enceinte de moi. Son gynécologue avait découvert avant tout le monde que je serais une fille. Enfin ! Il ne faut rien exagérer. Avant tout le monde peut-être, mais pas avant moi... J'ai quand même été la première informée...

Nous avons aussi visité des laboratoires avec des microscopes, des écrans de télévision, des machines bizarres et compliquées pour les tests sanguins paraît-il, des tas d'ordinateurs... En voyant tous ces ordinateurs, il m'est venu une idée pour aider Henri à résoudre le problème...

– Henri, vous ai-je dit qu'il m'arrive d'aider mon père, pourtant ingénieur en électronique, quand il a des difficultés avec son ordinateur ?

– Non, je ne le savais pas. C'est très bien, Déborah... Alors, ici, nous avons... blablabla... Cette étrange machine... blablabla...

« Je vous assure que rien ne m'amuse plus que de régler un problème informatique. C'est d'ailleurs ce qui explique mon surnom de « puce »… Ce n'est pas seulement parce que je suis plutôt de petite taille… »

Henri continuait à parler comme si je n'avais rien dit. J'ai donc enchaîné :

« J'ai même eu un prix spécial d'informatique à l'école. J'avoue qu'il n'y a pas de quoi se vanter… Le niveau général est si bas… »

Rien à faire ! Décidément, c'était comme si je n'étais pas là. Henri n'entendait pas du tout – au sens propre comme au sens figuré – où je voulais en venir. Il continuait à donner ses explications sur tous les appareillages, sans prêter attention à ce que je disais. J'ai fini par exagérer un peu pour faire l'étalage de mes talents…

– À l'école – c'est un secret, il ne faut surtout pas le répéter ! – j'ai réussi à entrer dans l'ordinateur du directeur et à consulter les notes des examens avant qu'elles soient affichées. J'ai trouvé le mot de passe et tout le cheminement pour parvenir aux fichiers qui m'intéressaient. Je sais faire beaucoup de choses très compliquées, vous savez. J'aurais même pu m'ajouter quelques points si j'avais voulu… Mais je refuse de mettre mes connaissances au service de la malhonnêté… !

– … Tu veux dire que tu serais peut-être capable de me donner un coup de main ?

Enfin, Henri avait compris. Il se rendait compte que mon savoir-faire pouvait lui être très utile.

– Retournons immédiatement dans la salle où est l'ordinateur, déclara-t-il solennellement. Nous devons travailler, Déborah et moi !

Je me suis vite installée devant l'écran de l'ordinateur où Henri travaillait quand nous l'avons surpris. Il y avait si longtemps que je n'avais pas touché à un clavier. Je renouais avec ma vraie nature. Et puis, j'étais si fière de la confiance que Henri m'accordait.

L'ancien directeur de l'hôpital a haussé le siège pour que je sois plus à l'aise. Il m'a donné plusieurs éclaircissements. Il m'a expliqué en détail ce qui s'était passé. Il m'a raconté comment il avait procédé pour accéder aux dossiers des malades. De mon côté, je le questionnais sur son code d'accès, le mot de passe de l'hôpital, les fichiers à ouvrir, les liens utiles. Je m'efforçais d'être attentive au moindre mot qui sortait de sa bouche. Il fallait que je saisisse parfaitement la logique du système. Quand j'ai estimé avoir suffisamment de renseignements, j'ai commencé mon analyse. J'ai d'abord essayé quelques solutions classiques, en prenant bien garde de ne pas aggraver encore le mélange des fichiers. Une chose, puis une autre… L'ordinateur était puissant. C'était agréable de travailler à cette vitesse. Cependant, je dois avouer qu'il m'était particulièrement difficile de me concentrer. Henri et les trois garçons restaient plantés derrière moi, à guetter, par-dessus mon épaule, ce que je trafiquais. J'avais l'impression d'étouffer… J'ai fini par éclater.

« Je n'y arriverai jamais si vous restez derrière mon dos ! Laissez-moi respirer un peu. »

Ils ont vite compris mon exaspération et ils se sont éloignés. Ouf ! Enfin, de l'air… Là, je me sentais mieux. J'allais pouvoir me concentrer. Comme plus personne ne me surveillait, j'en ai profité pour aller faire un petit tour rapide et discret dans ma messagerie. Un tas d'anciens messages avaient disparu, mais ce n'était pas le moment de m'occuper de ce problème. Je ne voulais pas décevoir Henri, alors je me suis remise à la tâche pour tenter de trouver la source de tout ce mélange. J'avais beau être la reine de l'informatique, la difficulté était de taille ! Je tentais une chose, je demandais un complément d'information à Henri, je recommençais, j'essayais une solution différente, puis une deuxième, puis une troisième… Pendant ce temps, les garçons discutaient. J'aimais entendre le son de leur voix, tandis que je tapais sur les touches du clavier. J'écoutais leur conversation un peu dégoûtante et pas très raffinée, par moments…

– Me permettez-vous de vous poser une question, Henri ?… dit Bertrand qui semblait à la fois gêné et amusé. En hiver, on se mouche sans arrêt, pas vrai ? Pourquoi est-ce qu'on a tant de morve qui s'agglutine dans le nez ?… Euh !… Excusez-moi… C'est peut-être un peu « dégueu » ce que je demande…

– Pas du tout, c'est une excellente question ! Pourquoi ne faudrait-il pas en parler ? La médecine s'intéresse à ces sujets, tu sais. Cela fait partie des fonctions de l'organisme.

– Vraiment ? dit Nathan en rigolant. La médecine étudie la morve et toutes les choses que notre corps évacue... ? Enfin... je ne préciserai pas quoi... Quand on est enfant, on nous interdit d'en parler parce que ce serait « mal élevé »..., c'est-à-dire... impoli, quoi...

– Ces sujets sont tabous pour les parents, mais pas pour les médecins. Pour répondre à la question de Bertrand, savez-vous que nous avalons près de un litre de mucus nasal par jour ? Ce liquide, gluant et transparent, agit comme un filtre. Il bloque les impuretés contenues dans l'air et les empêche de pénétrer dans les poumons.

– Beurk... ! On en avale autant ? Ça fonctionne comme un piège à saletés, alors !... Incroyable, quand même !... Est-ce que les scientifiques s'intéressent aussi aux pets ? ajouta Bertrand en pouffant... Parce qu'en plus, on peut jouer de la musique !

– C'est parfaitement naturel ! Des gaz s'accumulent dans les intestins. Là, ils provoquent un ballonnement et ils finissent par sortir... Le pet est une flatuosité occasionnée par une flatulence. Ce sont les termes scientifiques. Un individu normalement constitué en émet bien une quinzaine par jour... ! Quant au bruit qui les accompagne, il est causé par la vibration de l'air consécutive à celle de la peau qui entoure l'anus :

un vrai instrument de musique, en effet… Plus les muscles sont contractés et plus le son est aigu. Le même principe que la corde d'une guitare…

Je n'en revenais pas que les garçons puissent poser de pareilles questions. Tout le monde riait en écoutant Henri, qui répondait le plus sérieusement du monde. Moi, je poursuivais mon travail, tout en m'amusant beaucoup… J'avais de la difficulté à comprendre ce qui avait bien pu provoquer le mélange des fiches de l'hôpital… Et ce n'était pas parce que j'étais distraite par la conversation ! Je suis parfaitement capable de faire deux choses à la fois.

– Quand on éternue aussi ça fait du bruit ! remarqua encore Bertrand.

– Tout à fait ! Nous avons deux filtres dans le nez : le mucus, dont je vous ai déjà parlé, et des petits poils appelés « vibrisses ». Si ce double filtre laisse quand même passer quelques impuretés, l'air est expulsé du nez par un éternuement. Celui-ci est souvent bruyant parce que sa vitesse est étonnamment élevée : 160 kilomètres à l'heure !

– Non !… Incroyable ! Et c'est aussi pour ça qu'on a envie de se curer le nez… ? Enfin, … parfois…, même si ça n'est pas très propre…

– Pas très propre, en effet ! Il est vrai qu'on ressent parfois une gêne causée par une accumulation des impuretés. Toutefois, cette manie de se curer le nez est beaucoup trop fréquente à mon goût. Elle se nomme savamment rhinotillexomania… Il est nettement mieux d'utiliser un mouchoir !

— En parlant de bruit, j'ai le ventre qui gargouille, ajouta Bertrand que cette conversation amusait particulièrement… Y a-t-il un nom scientifique pour cela aussi ?

— Mais oui ! Cela s'appelle des borborygmes. Et en étant très attentifs, nous pourrions entendre non seulement les borborygmes de notre estomac, mais les battements de notre cœur ou les bruits de notre gorge, de nos poumons…

Bertrand et Nathan riaient à n'en plus finir. Quand Sylvain a changé de sujet, le calme est revenu. J'aurais tellement aimé regarder mon ami dans les yeux au moment où il parlait plutôt que de lui tourner le dos… Je manque de mots pour décrire toutes ses qualités.

— Moi, j'adorais m'occuper de ma petite sœur, confia-t-il à l'assemblée. Je changeais sa couche. Elle avait quelques mois et son caca était jaune comme de l'or. Je lui donnais son biberon et quand elle avait fini de boire, je la tenais contre moi afin qu'elle fasse son rot. Il arrivait qu'elle ait un petit renvoi, mais il n'y a rien de dégoûtant à cela… Au contraire !

Voilà que, tout en pianotant, j'apprenais que Sylvain savait même s'occuper d'un bébé… changer ses couches, lui donner à manger, attendre patiemment qu'il ait fait son rot… Quel extraordinaire garçon ! C'est incroyable. Il est parfait. Il faut absolument que je perce l'énigme informatique de l'hôpital. Je dois l'impressionner, moi aussi. C'est indispensable si je veux qu'il s'inté-resse vraiment à moi…

– Je suis d'accord avec toi, lui répondit Henri. En médecine, on emploie d'autres termes, mais qui signifient la même chose. Le corps humain a toutes sortes de sécrétions. Elles sont naturelles et vitales.

L'homme de science aborda aussi la question des odeurs corporelles qui ne sont pas produites par la transpiration elle-même, mais par des bactéries spécifiques. Il y en a partout, leur dit-il, ou du moins là où ça sent mauvais : les aisselles, la plante des pieds… et même la bouche qui en contient des millions. À ce propos, pour répondre à une question des garçons, Henri expliqua que la mauvaise haleine provenait de l'absence de mouvements de la langue et d'acti-vité salivaire durant la nuit. Pouahhh !… J'avais presque l'impression de sentir ce qu'il décrivait. Il évoqua encore un tas d'autres sujets du même genre. Parmi toutes ses explications, j'ai retenu le chiffre impressionnant du volume d'urine que chacun de nous produit au cours de sa vie. Quelque 35 000 litres ! Tout à fait stupéfiant ! « Combien cela peut-il remplir de baignoires, me suis-je demandé ? Au moins une piscine du genre de celle de l'école… »

Vue sous cet angle, la médecine commençait à m'intéresser. En tout cas, c'était vraiment tor-dant d'aborder toutes ces questions dont on n'ose jamais parler franchement avec les grandes personnes.

Henri, impatient de voir mes investigations progresser, jetait de temps en temps un coup d'œil de mon côté. Malheureusement, en dépit de mes talents, dont je n'ai jamais douté, et des renseignements qu'il me fournissait, je n'entrevoyais encore aucune solution satisfaisante. Je n'avais nullement envie d'abandonner. Cependant, je commençais à avoir tellement sommeil que je manquais d'idées. Je ne savais plus quoi tenter. Je bâillais à m'en décrocher la mâchoire. Il me semblait avoir tout essayé.

Henri a remarqué ma mine accablée : j'avais du mal à garder les yeux ouverts. J'ai fini par m'avouer vaincue. Ma réputation de génie de la puce en prenait un coup, mais comment faire autrement ? Mon numéro pour épater Sylvain s'achevait lamentablement. Mon imagination était en panne. L'échec était cuisant. Il me fallait admettre que ce ne serait pas ce soir-là que j'arriverais à quelque chose.

– Vraiment désolée, Henri… !

– Mais non, voyons ! Tu n'y es pour rien… Allons, au lit, les enfants ! Je crois que vous avez eu une journée bien remplie. Il faut vous reposer un peu. … Déborah, je te remercie beaucoup d'avoir essayé de m'aider. Je vais continuer à chercher de mon côté. Il faudrait vraiment que je réussisse à remédier au problème. C'est tellement important…

Henri nous a accompagnés jusqu'au couloir de notre chambre. Nathan a récupéré ses affaires et il est reparti en promettant de revenir le lendemain. Huguette dormait profondément. J'étais exténuée. Une fois dans mon lit, j'ai aperçu mes deux camarades disparaître sous leurs couvertures. J'ai posé ma tête sur mon oreiller et je crois que je n'ai pas mis plus d'une seconde ou une seconde et douze dixièmes pour sombrer dans un profond sommeil. Ma journée s'était achevée piteusement, sans que je puisse venir en aide à Henri et aux malades de l'hôpital. J'étais triste et dépitée. Mon impuissance me navrait, mais rien ne pourrait m'empêcher de dormir.

Tout à coup, je me suis redressée dans mon lit, les yeux ronds comme des billes, à scruter l'obscurité. « Quelle heure est-il ? me suis-je demandé. Pourquoi suis-je éveillée ? » À travers les stores fermés, je voyais bien qu'il faisait encore nuit. Mes amis dormaient profondément. Tout était sombre et silencieux, et moi, je n'avais plus sommeil. C'était vraiment bizarre ce réveil soudain ! Puis, en réfléchissant un peu, il me semblait avoir de vagues souvenirs d'un rêve. Ce n'était pas un cauchemar cette fois. En me concentrant, je me revoyais assise…, devant l'ordinateur de l'hôpital… Sylvain était tout près de moi… et il me regardait… Non, c'était Henri, plutôt… Et je découvrais la solution ! Mais oui ! En me souvenant de mon rêve, j'ai compris tout à coup pourquoi je n'avais pas réussi à trouver la cause du problème. Tout s'était passé au moment précis où Henri avait introduit son propre code… Bien sûr ! C'était l'une des premières choses qu'il nous avait expliquées ! Tout était clair, à présent.

J'ai sauté à bas de mon lit, j'ai enfilé mes pantoufles et j'ai quitté la chambre à toute vitesse. Je constatais que j'avais très bien retenu l'itinéraire suivi avec les autres quelques heures auparavant puisque, en un rien de temps, je me suis retrouvée dans la salle de l'ordinateur. Henri était toujours là, assis devant l'ordinateur. Une chance !

– Oh ! … Qu'est-ce que tu fais encore là, Déborah ? Allons ! Pourquoi ne dors-tu pas ?…

– J'ai dormi un peu. Ça y est… je crois que j'ai… !

– As-tu vu l'heure qu'il est ? Il n'est même pas 5 heures du matin ! C'est ou trop tard ou trop tôt pour être debout…

Pas 5 heures du matin ! Moi qui me mets en colère quand maman me réveille à 6 heures ! Ce serait bien que je sois dans la même forme quand il s'agit d'aller en classe…

– Je suis trop excitée pour dormir. J'ai compris quelque chose dans mon rêve. Il faut que je vous montre…

Henri s'est levé et m'a laissé sa place. Il était curieux de voir ce que j'avais compris. Je tapais à toute vitesse sur les touches du clavier, j'entrais dans les fichiers qui m'intéressaient et j'expliquais ma découverte à Henri. C'était effectivement lui qui avait causé le problème. Au moment où il avait tapé son code d'accès personnel, un programme de destruction efficace s'était activé.

Tout avait été prémédité pour que le problème survienne automatiquement au moment précis où Henri, et personne d'autre, utiliserait son code d'accès. Quelqu'un avait donc intérêt à ce que tout se mélange quand l'ancien directeur viendrait fouiller dans les dossiers médicaux de l'hôpital…

– Quelqu'un vous en veut ici, Henri. Et c'est probablement lui ou elle qui a tout fait pour provoquer le mélange des fiches au moment où vous affichiez votre identité.

– Certains membres du personnel pourraient effectivement avoir provoqué cette catastrophe pour me nuire. Toutefois, ce qui me paraît étonnant, c'est qu'ils ne semblent pas pressés de régler le problème. On dirait qu'ils ne savent pas comment faire.

– Ils savent peut-être comment faire, mais ils veulent que vous soyez blâmé et accusé.

– Ce que tu dis est fort intéressant, Déborah. Je comprends mieux à présent. Je crois que tu as mis le doigt sur le point fondamental. Et je pense même savoir qui pourrait être à l'origine de cette affaire ignoble…

Ce que nous venions de comprendre allait complètement renverser la situation. Une ou plusieurs personnes – ça, nous ne savions pas encore – s'étaient arrangées pour tendre un piège à Henri. Un beau coup monté ! Un stratagème diabolique d'autant plus terrible qu'il agirait au moment opportun. L'élément déclencheur serait la carte d'identité de Henri ou, du moins, la reconnaissance, par l'ordinateur, de son code personnel. Un programme informatique avait été installé sur le disque dur des ordinateurs en réseau de l'hôpital pour produire la catastrophe que l'on sait et condamner Henri par la même occasion.

Le coupable n'était pas pressé. Il avait quelque chose à cacher, mais son objectif était d'accabler Henri quand l'occasion se présenterait. Le criminel – celui qui avait osé concevoir le programme de piratage – savait que tôt ou tard, l'ancien directeur aurait besoin de consulter les fichiers informatiques de l'hôpital. Henri était un grand savant. Tous ceux qui le connaissaient un peu savaient qu'il n'interromprait jamais ses recherches, quelles que soient les difficultés. Henri découvrirait un jour le remède à son syndrome machin-truc. Il le testerait pour s'assurer de son efficacité. Il voudrait alors permettre à d'autres malades d'en bénéficier. Et il retournerait à l'hôpital pour noter leur adresse dans les dossiers médicaux. Le coupable connaissait bien Henri. Il avait soigneusement préparé son plan.

Je ne peux pas tout révéler parce que Henri m'a confié certains secrets. C'est vraiment un brave homme. Il est bon, très bon. Trop bon peut-être. Personnellement, je n'aurais pas hésité à tout entreprendre pour me venger de ce ou ces bandits. Henri songeait avant tout à l'intérêt des malades. Il ne voulait pas ébruiter l'affaire et cherchait à rétablir l'ordre au plus vite. Certaines personnes risquaient de ne pas être soignées convenablement s'il n'agissait pas ainsi et pour lui, la santé des patients passe avant tout.

Henri essayait de me convaincre qu'il ne sert à rien d'être rancunier. Il disait que ceux qui nous causent du tort sont toujours punis et que tôt ou tard, ils comprennent le mal qu'ils ont fait. Il disait aussi que la justice se chargerait d'eux et qu'il était inutile de chercher à se venger. Son discours était louable, mais je n'approuvais pas tout. J'avais l'impression d'entendre mamie Gâteau avec ses conseils de grand-mère. En fait, Henri et elle ont peut-être raison. Je ne sais pas trop. Chose certaine, moi, à la place de Henri, je n'aurais jamais supporté qu'un criminel me fasse du tort et s'attaque à d'innocentes victimes sans être dénoncé et condamné... Il faut croire qu'on n'est pas tous pareils...

Chapitre 10

La gloire !

Cette semaine, en promotion chez Pharma-coût... Fabuleux... pour la salle de bains, avec javellisant... nettoie la saleté incrustée... Chez Ballagan, vous trouverez des aubaines extra-ordinaires... Venez magasiner le dimanche!... Ballagan: Ça commence là... Sur les matelas Simoudur, vous dormirez bien ! ... Ne payez rien avant six mois. Et recevez, en cadeau, un appareil photo numérique... !

– Je n'en peux plus ! Ils vont me rendre fou avec tous ces messages publicitaires, dit Bertrand. Je veux écouter le bulletin d'informations. Quelle heure est-il ?

– Si ma montre est exacte, il faut patienter encore quatre minutes et vingt-huit secondes, répondit Sylvain.

– Pensez-vous qu'ils vont parler de nous à la télé ? ai-je demandé.

Devant le gros téléviseur – ancien modèle – suspendu au mur blanc de la vaste salle du deuxième étage, nous attendions fébrilement les nouvelles. Il y avait Sylvain, Bertrand et moi, plus un tas d'inconnus – des femmes, des hommes et des enfants – qui allaient et venaient entre la salle et le couloir. La plupart étaient des anciens malades qui allaient, comme nous, quitter l'hôpital ce jour-là. Le lieu ressemblait plus à une aérogare bondée qu'à un établissement hospitalier tant l'agitation était grande. Nous ne nous en préoccupions pas trop même si le vacarme était agaçant. Enfoncés dans notre fauteuil et rivés à l'écran, nous trépignions d'impatience en attendant le bulletin télévisé. Les minutes s'écoulaient à une lenteur insupportable.

Huguette n'était pas avec nous. Elle avait été placée dans une autre chambre la veille. Sa présence sur l'étage de pédiatrie était effectivement une erreur... Nous l'avions compris bien avant « Mademoiselle » Épicure, Charlemagne et les autres, mais enfin…

J'ai eu du chagrin de la voir partir. Nous avons échangé nos numéros de téléphone et elle a promis qu'elle nous inviterait chez elle pour goûter ses fameux spaghettis avec sa sauce spéciale. Il m'a semblé voir quelques larmes dans ses yeux quand elle nous a dit « au revoir ». Deux infirmiers sont venus la chercher pour l'emmener dans le service d'urologie. Elle devait subir d'autres examens pour vérifier s'il restait des petits cailloux dans ses reins.

Tout était enfin rentré dans l'ordre dans cet hôpital. Fini le mélange des dossiers ! Plus une seule fiche au mauvais endroit ! Plus de confusion ! J'y étais pour quelque chose… et mes amis aussi, mais passons… ! Il ne fallait pas espérer le plus petit remerciement. C'était déjà bien de pouvoir partir…

Après de multiples vérifications de la part du personnel hospitalier et une attente interminable pour l'ensemble des patients, la direction avait enfin déclaré que les dossiers étaient classés et que tout était rentré dans l'ordre. Les personnes guéries allaient pouvoir rentrer chez elles. Les autres recevraient les traitements nécessaires. Il était temps que tout redevienne normal !

La nuit où j'ai découvert le pot aux roses, j'avais mis de l'ordre dans les fiches virtuelles, mais il a fallu quelques jours avant que les responsables de l'hôpital s'assurent qu'il n'y avait plus la moindre erreur.

À présent, plus un seul médecin n'imaginait que j'avais un problème de prostate. Personne ne croyait que Huguette avait la varicelle, que Sylvain avait subi une fracture du col du fémur ou que Bertrand était allergique au lait pour bébés. Ce genre d'erreurs grotesques était désormais impossible. Le programme informatique avait été examiné à la loupe par des informaticiens au-dessus de tout soupçon et des mesures avaient été prises pour que de tels incidents ne se reproduisent plus. Mon opération chirurgicale s'était bien passée. J'étais en pleine forme depuis longtemps. Il n'y avait aucune raison pour que je reste plus longtemps ici.

Mes deux camarades et moi faisions partie des chanceux qui rentreraient enfin chez eux. Un grand nombre de patients avaient été autorisés à sortir le même jour. Les membres du personnel administratif avaient prévu que le secrétariat serait engorgé à cause des formalités à remplir. Toutefois, ils avaient annoncé que l'attente ne durerait pas plus de quelques heures. On pouvait le souhaiter, car la foule commençait à s'agiter. Les gens étaient tendus, nerveux, excités. Pour nous qui avions connu des couloirs déserts, c'était un choc de voir autant de personnes remuer en même temps.

Tout le monde avait hâte d'en finir avec cette histoire de fous. Il y avait non seulement les patients, mais aussi leur famille et leurs amis qui venaient les chercher. Les gens se pressaient, élevaient la voix, se plaignaient, exigeaient des explications, protestaient. J'avais une folle envie de les inviter à regarder les nouvelles avec nous. Ils auraient ainsi eu de l'information sur le piratage des fichiers et auraient peut-être appris notre rôle dans l'histoire. Toutefois, je ne voulais pas quitter mon fauteuil et me mêler à cette foule grouillante. D'ailleurs, le bulletin d'informations allait commencer d'une minute à l'autre. Je ne voulais pas en rater une seule seconde !

Nous étions prêts à partir. Nos sacs étaient près de nous. Mes parents et ceux de Bertrand devaient arriver d'un moment à l'autre pour nous ramener à la maison. Comme la famille de

Sylvain ne rentrait de voyage que le lendemain, c'est une amie de sa mère qui venait le chercher. Ainsi s'achevait notre aventure à l'hôpital. Nous qui avions vécu des moments extraordinaires ensemble, nous allions bientôt être séparés. Il nous restait peu de temps pour profiter du plaisir d'être ensemble. J'éprouvais une impression bizarre. J'étais triste et contente à la fois : contente de rentrer chez moi, mais triste de quitter mes copains. J'avais le cœur serré, mais j'essayais de ne pas trop y penser. Ce qui comptait pour l'instant, c'était le bulletin d'informations. Nous nous doutions bien qu'il serait question de l'hôpital, mais nous avions hâte de connaître le dénouement de l'affaire...

– Ah ! Enfin ! Regardez... ! cria Bertrand.

Bonjour à tous ! Il est midi ! Voici le bulletin d'informations présenté par Sébastien Malin... Il fait particulièrement froid à Montréal aujourd'hui. La température indique -35 °C avec le facteur vent. C'est pourquoi je vous...

– C'est qui ce présentateur ? Oh ! là là ! Comme il est beau ! Je ne le connais pas... On dirait cet acteur qui joue dans...

– ... Chut ! Tais-toi donc Déborah, coupa Bertrand. Tu parles tout le temps : on risque de ne pas entendre... maintenant que c'est enfin commencé !

– C'est vrai, dit Sylvain, presque en même temps que Bertrand. Un peu de silence... !

D'ailleurs, je ne vois pas ce que tu lui trouves à ce présentateur... !

Si l'on ne peut plus ouvrir la bouche… ! Vu le bruit que faisaient les gens autour de nous, je ne comprenais pas ce qu'ils avaient ces deux-là à rouspéter comme ça ! J'ai soupiré, mais je me suis tue. Pourquoi étaient-ils si impatients avec moi ? Nous avions encore le temps. C'était juste le bulletin météorologique. J'avais bien le droit de me pâmer devant le présentateur.

— Regardez ! C'est Henri qui va être interviewé ! Je l'ai reconnu à côté du présentateur !

— Et là ! C'est Nathan !

Ça, c'était la primeur de l'année ! Henri et Nathan, nos deux compagnons d'aventure, allaient être interviewés à la télé. Nous étions fiers de les connaître ! Et puis, c'était un peu grâce à nous trois que l'affaire se réglait au mieux pour Henri et les malades… Quant à Nathan, il avait révélé les faits publiquement. Son article était paru dans l'un des grands quotidiens de Montréal. Il avait ensuite été sollicité par tous les médias pour expliquer ce qu'il savait. Sa carrière journalistique commençait vraiment bien. Il avait eu la chance d'être le premier informé. Pour un jeune étudiant comme lui, c'était une expérience extraordinaire.

Mesdames et messieurs, bonjour ! Comme je vous le disais, les températures atteignent presque un record pour la saison… Pas de tempête, mais les vents sur le Québec…

— Et alors ? On s'en fiche du temps qu'il fait.

Des familles sont sans logement, à la suite de... Six personnes sont à la rue... Encore des inondations près de... Dans l'est des États-Unis, beaucoup de neige...

– Ce n'est pas possible ! Il n'y a que l'état du ciel et la température qui intéressent les gens ?

Nous revenons sur l'affaire de l'hôpital avec deux invités... après la pause !

– Non, mais je rêve ? Encore des pubs !

L'attente n'en finissait plus ! Sylvain a profité de la pause publicitaire pour se lever et augmenter le volume. Il avait peur que le bruit extérieur couvre la voix de nos amis...

Atchoum ! C'est l'hiver ! Prenez Rhino...

– Ouais ! rhinotillexomania et mettez-vous les doigts dans le nez..., compléta Bertrand en riant aux éclats. Et écoutez celle-là : jusqu'au 30 janvier, votre concessionnaire de voitures « Machin-bidule » à injection... de piqûres... vous offre un crédit de douze mois... et... un séjour à l'hôpital... !

– Chut ! Cette fois-ci, ça y est ! s'écria Sylvain.

– *Comme je vous l'annonçais avant la pause, j'ai le plaisir de recevoir deux invités pour nous parler de l'affaire du Grand Hôpital de Montréal : le docteur Henri Wajnacht-Bidiouck – est-ce que j'ai prononcé votre nom correctement... ?*

– C'est cela, oui !

– *Bon..., et M. Nathan Krief... Bonjour messieurs !*

– Waouh ! Regardez un peu le beau costume que porte Nathan ! Avec une cravate, s'il vous plaît… Il paraît avoir au moins 15 ans de plus dans ces vêtements de vieux !

– *Je rappelle les faits* – *messieurs, corrigez-moi si je me trompe* – *la situation est parfaitement rétablie au GHM, le Grand Hôpital de Montréal, n'est-ce pas ?… Nous devons rassurer les téléspectateurs qui ont peut-être des proches hospitalisés…*

Nos deux amis acquiesçaient en remuant la tête. Nathan ne pouvait s'empêcher de sourire bêtement. Henri avait l'air embarrassé. Je les trouvais changés tous les deux. Je les reconnaissais, mais ils n'étaient pas comme d'habitude, me semblait-il. Était-ce le trac qui les transformait ? Ou peut-être ne les avais-je jamais bien regardés ?

– *Docteur Wajnacht-Bidiouck, vous avez été le premier présumé coupable dans cette affaire de piratage informatique. Toutefois, l'enquête vous a lavé de tout soupçon et vous avez été entièrement mis hors de cause… C'est bien cela ?*

– *En effet !* répondit Henri, à qui le présentateur passait la parole… *Et l'enquête policière se poursuit pour découvrir les vrais coupables… Voyez-vous, j'ai travaillé dans cet hôpital pendant de nombreuses années… Quand j'ai pris ma retraite, j'ai continué mes recherches…*

– *À ce propos… pardonnez-moi de vous interrompre un instant, docteur Wajnacht-Bidiouck… je souhaiterais, avant que vous poursuiviez l'affaire qui nous intéresse, signaler aux téléspectateurs que vous venez justement de recevoir une distinction honorifique pour vos recherches en pédiatrie…*

– Oh ! Vous savez… Ce ne sont pas les honneurs qui comptent, mais bien les progrès scientifiques qui aideront les malades…

– Vous êtes trop modeste, docteur Wajnacht-Bidiouck ! Il s'agit tout de même du Prix international de médecine hippocratique, décerné aux scientifiques qui font une découverte exceptionnelle…

– C'est exact ! Toutefois, selon moi, ce sont les malades qui devraient être récompensés pour le courage avec lequel ils combattent la maladie… et pas…

– … Hum !… Bon…, je comprends ! Revenons à l'affaire de l'hôpital alors… Sur qui pèsent les soupçons ? Y a-t-il un ou plusieurs coupables ?

– Tant que l'enquête n'est pas terminée, je préfère me taire. Voyez-vous… il est si facile d'accuser quelqu'un et d'entacher une réputaion. Je ne voudrais pas…

– … Si vous me le permettez…, intervint Nathan, j'ai une information de dernière heure à ce propos.

– Je vous en prie, monsieur Krief…

– La police qui poursuit activement son enquête pense démanteler, d'ici peu de temps, tout un réseau de malfaiteurs. L'affaire est beaucoup plus grave qu'on ne le croyait… Il y aurait de multiples ramifications…

– Quels seraient les motifs de ce piratage informatique, alors ? demanda l'intervieweur.

– La police ne s'est pas prononcée sur ce point. Il s'agirait – j'emploie encore le conditionnel – d'un énorme scandale : des renseignements gênants que *certains auraient eu intérêt à dissimuler… C'est à propos d'un médicament qui aurait été prescrit un peu à la légère, semble-t-il, à des dizaines de femmes enceintes, il y a quelques années. Dans certains cas, les conséquences ont été dramatiques pour les nouveau-nés. Toutefois, le médicament n'y était pour rien. Le docteur Wajnacht-Bidiouck est justement le spécialiste de la pathologie qui affecte ces enfants. De plus, il était directeur de l'hôpital à cette époque. Les coupables l'ont évincé de son poste et ont tenté de l'empêcher de poursuivre ses recherches. Ils se sont même arrangés pour le faire accuser dans l'affaire qui nous occupe aujourd'hui… Voilà pourquoi, quand le docteur Wajnacht-Bidiouck a cherché à obtenir des données à propos des femmes qui avaient pris le médicament, les fiches se sont mélangées… Le programme informatique était piégé… La suite, vous la connaissez… La police interroge les suspects et…*

Nathan se débrouillait très bien. Il semblait à l'aise et ses propos étaient clairs. Ce n'était pas comme Henri qui ne voulait même pas dire un mot sur la récompense bien méritée qu'il venait de recevoir. Je ne comprenais pas pourquoi notre ami n'était pas plus flatté de cette reconnaissance. Cela me semblait une belle revanche sur tous ceux qui lui avaient fait du mal. En plus, Henri craignait de dénoncer ceux qui étaient prêts à le faire condamner à leur place. Heureusement, Nathan expliquait au monde entier que ces crapules, ces fripouilles, ces malfaiteurs… seraient tous démasqués et jugés pour leur crime !

L'affaire était donc plus sérieuse qu'on l'imaginait ! Un scandale médical ? Peut-être des personnalités du monde politique étaient-elles impliquées ? Et ces vauriens n'avaient pas hésité à risquer que des malades innocents soient privés de soins ! C'était immonde, un crime pareil ! J'avais hâte d'en savoir plus. Il y a beaucoup de détails qui m'échappaient. Il fallait attendre la fin de l'enquête, je suppose…

– *Si vous le permettez, j'aimerais dire quelque chose de très important aux téléspectateurs…*, dit Henri timidement…

– *Je vous en prie, docteur Wajnacht-Bidiouck, je vous en prie…*

– *Eh bien ! Voilà ! J'aimerais remercier publiquement trois enfants merveilleux, sans qui le désordre dans les dossiers médicaux ne se serait peut-être pas réglé aussi rapidement …*

– Eh ! … Regardez ! On dirait que Henri va parler de nous ! dis-je aux deux autres.

– *Je voudrais souligner leur courage, leur gentillesse, leur patience, leur intelligence, leur perspicacité… Ils ont été plus persévérants et plus efficaces que tous les informaticiens recrutés par l'hôpital… Les malades leur doivent une fière chandelle… Et…*

– Alors ! Il se décide ? dit Bertrand, aussitôt remis à sa place par Sylvain parce qu'il nous empêchait d'entendre.

– *… enfants merveilleux se prénomment Bertrand, Sylvain et… D…*

– Pourquoi ne se souvient-il jamais de mon nom ? ai-je hurlé.

– CHUT ! répondit Sylvain.

– … *Déborah…*, lui souffla Nathan…

– *Oui, c'est cela… Déborah. Merci ! Ce sont trois enfants absolument épatants. Et quand je dis épatants, je pèse mes mots. S'ils m'écoutent en ce moment, je leur dis merci. Déborah, Bertrand, Sylvain, merci beaucoup pour votre aide si précieuse…*

Nous en avions les larmes aux yeux. Pourvu que maman regarde cette émission ! Là, elle pourra être fière de son adorable puce chérie. Pendant un moment, nous sommes restés silencieux, cloués dans notre fauteuil, Sylvain, Bertrand et moi. Nous ne savions pas quoi dire après ces paroles émouvantes de la part d'un éminent professeur de médecine, s'il vous plaît ! Nous restions là, figés. Il avait prononcé notre nom à la télévision…

C'est Léa qui m'a fait revenir sur terre. Elle me cherchait partout, disait-elle et elle n'avait pas de temps à perdre avec moi. Soudain, j'ai aperçu papa et maman qui la suivaient. J'ai couru vers eux et je me suis jetée dans leurs bras.

– Maman ! Papa ! Avez-vous regardé la télé à l'instant ?

– Non, ma puce, me répondit maman. Nous venons juste d'arriver, nous étions dans la voiture.

– Quel dommage ! Henri a parlé de nous. Tu sais, je t'ai parlé de lui au téléphone. Il nous a remerciés à la télévision, maman, tu te rends compte ! C'est un grand professeur de médecine...

– Eh bien ! c'est normal, déclara mon père. C'est la moindre des choses, il me semble...

– Je ne suis pas tout à fait de cet avis, intervint Sylvain. Ce serait plutôt à la direction actuelle de l'hôpital de nous remercier, et en particulier Déborah. Parce que sans elle...

Sylvain s'était levé pour que sa déclaration ait encore plus de portée. J'étais au comble du bonheur. C'était encore mieux que lorsque j'avais entendu Henri bafouiller mon nom à la télévision. Pour dissimuler ma gêne et retrouver mon aplomb, je me suis tournée vers Léa.

– Léa, si tu étais arrivée seulement une minute plus tôt... devine qui tu aurais vu à la télévision ?

– Qui ça ? demanda immédiatement maman qui se mêle parfois de ce qui ne la regarde pas...

Comme je ne voulais quand même pas « trahir » ma sœur devant mes parents – elle était devenue soudainement écarlate – j'ai répondu vaguement des choses sans importance, une publicité, le présentateur mignon... n'importe quoi. Ma mère et mon père n'avaient, heureusement, rien remarqué de mon état quand Sylvain leur avait parlé de moi, ni de celui de Léa, quand j'avais failli gaffer ! Ouf ! C'est parfois comme ça, les parents : ça ne voit rien... Bertrand a soufflé la bonne réponse à l'oreille de Léa : Nathan était apparu à l'écran et il portait un costume et une cravate de vieux… J'ignore si cela lui a fait vraiment plaisir. À ce moment, je n'avais aucune idée des rapports réels qui existaient entre elle et Nathan, mais depuis, j'ai su que son journaliste en herbe préféré n'était pas du tout amoureux d'elle et qu'il la considérait comme une bonne copine… Aïe, aïe, aïe ! C'est triste, mais ça arrive parfois… En revanche, il y en a deux qui n'ont pas mis beaucoup de temps pour se plaire mutuellement… Bertrand et Karissa, ma copine de toujours, qui m'avait fait la surprise de venir avec la famille…

– Regarde qui tenait à nous accompagner ! dit maman.

– Oh ! Karissa !

Nous nous sommes embrassées en éclatant de rire. Ma meilleure copine (avec Zina) était là ! Nous sommes trois inséparables. Il y avait si longtemps que j'avais vu Karissa. Je n'avais même pas pu lui parler. Je lui ai demandé des nouvelles de Zina. Puis, je l'ai présentée aux deux garçons pendant que mes parents s'occupaient des questions administratives pour ma sortie de l'hôpital. Presque immédiatement, les regards de Karissa et de Bertrand se sont croisés et ils ne se sont plus quittés… Le coup de foudre ! Il y en a pour qui c'est du rapide…

Maman est réapparue.

– Regarde, ma puce… En parlant avec la secrétaire pour l'informer de ta sortie, elle nous a remis cette lettre pour toi…

– Une lettre ! Moi, j'ai reçu une lettre ? Qui me l'a envoyée ? ai-je demandé, étonnée.

Le nom de l'expéditeur n'apparaissait pas sur l'enveloppe et il n'y avait pas de timbre. C'était une enveloppe blanche ordinaire où était écrit à la main : « À l'attention de Déborah et de ses amis, chambre 131, pavillon de pédiatrie, Grand Hôpital de Montréal » J'ai montré la lettre à Sylvain puisqu'elle le concernait lui aussi, mais pas à Bertrand, qui était trop occupé avec Karissa pour se soucier de nous…

– C'est peut-être Huguette qui nous invite à son « souper spaghettis » ? suggéra Sylvain.

J'ai ouvert délicatement l'enveloppe sous l'œil attentif de mon ami. J'étais presque sûre que c'était Huguette qui nous avait écrit un petit mot. Quand je me suis aperçue que c'était Henri qui nous écrivait, j'ai appelé Bertrand même si je le dérangeais. J'ai lu la lettre à haute voix.

Chère Déborah, cher Sylvain, cher Bertrand. Je n'ai pas pu vous revoir depuis la fameuse nuit, car, comme vous le savez, je dois me faire encore très discret à l'hôpital. Je tenais à vous remercier personnellement pour votre aide si précieuse. Je veux vous exprimer toute ma reconnaissance et toute mon affection. Je profite de cette occasion pour vous dire que vous pourrez me voir et m'entendre au bulletin de nouvelles demain à midi. Je vous promets de parler en votre nom, car je sais bien que, sans vous, je me serais sûrement retrouvé en prison et que, pire encore, bien des malades auraient proba-blement vu leur état s'aggraver. Je suis vraiment très heureux d'avoir fait votre connaissance. J'espère que nous nous reverrons un jour. Je vous donne mon adresse. Comme je n'ai pas les vôtres, n'hésitez pas à me faire signe: Henri Wajnacht-Bidiouck, 4532, rue... etc., Montréal. Prenez soin de vous. Avec toute mon amitié. Henri.

C'est ainsi que s'est achevée notre aventure à l'hôpital. Henri a été réhabilité. Nathan a vu sa carrière démarrer. Bertrand et Karissa ne se sont plus quittés. Et moi, j'étais toujours amoureuse de Sylvain...

« Allez ma puce ! Tout est réglé. Prends ton sac et dis au revoir à tes amis », dit maman en revenant encore une fois du secrétariat.

J'ai embrassé Bertrand en lui promettant qu'on se reverrait. Karissa et lui avaient déjà échangé leurs numéros de téléphone.

Ça me faisait drôle de quitter tout ce monde ! Je me suis retournée pour dire au revoir à Sylvain, mais je ne l'ai pas vu. Il n'était plus là ! Il avait disparu. Comment ? Mystère ! Il était là il y a un instant ! Personne ne savait où il était passé. Mon père et Léa, surtout, me disaient de me dépêcher. Ils avaient suffisamment perdu de temps comme ça. Le stationnement coûtait cher... Léa avait des choses plus intéressantes à faire que de rester dans ce lieu bondé et sur-chauffé, etc. Il était pourtant hors de question que je parte sans embrasser Sylvain. Il n'aurait plus manqué que cela ! Je frémissais rien que d'y penser. Je devais convaincre maman de ne pas sortir d'ici avant d'avoir salué Sylvain. Elle seule pouvait me comprendre. Sylvain demeurait introuvable. Je regardais partout ! Rien à faire. Il n'était nulle part !

Au bout d'un long moment, je me suis résignée à suivre la famille et à partir. J'ai recommandé à Bertrand d'expliquer à Sylvain que j'avais été contrainte de m'en aller. Je l'ai aussi chargé de lui dire que je lui en voulais un peu d'avoir osé disparaître sans me saluer. J'étais triste. Je n'arrivais pas à croire que je partirais sans embrasser Sylvain. Tout à coup, juste en sortant de l'ascenseur au rez-de-chaussée, je l'ai aperçu qui revenait de la cabine téléphonique. J'ai couru vers lui.

– Où étais-tu Sylvain ? dis-je, essoufflée. J'ai failli partir sans te dire au revoir !

– … Oh ! Excuse-moi Déborah ! C'est que… je devais appeler Marie-Chantal… J'ai rompu avec elle… Bon… ! Alors… au revoir ! fit-il en m'embrassant… À bientôt ! … On se téléphone, n'est-ce pas ? C'est promis ?

FIN